Nano Acuarios

AUTORES: JAKOB GECK, ULRICH SCHLIEWEN |

HISPANO EUROPEA

Índice

AVISOS IMPORTANTES

• En el acuario tan solo se deben emplear aparatos eléctricos homologados y de la máxima calidad.
• Los cambios de agua parciales son la clave para mantener la fauna del acuario en perfectas condiciones.
• Las plantas acuáticas nuevas pueden ser portadoras de sustancias tóxicas. Lávelas bien antes de introducirlas en el nano-acuario. Así eliminará posibles restos de fertilizantes.
• Tenga mucho cuidado al administrar medicamentos. Las gambas son especialmente sensibles y no toleran algunos de los productos que se emplean habitualmente en los acuarios normales.

Título de la edición original **Nano-Aquarien**

Es propiedad, 2008
© **Gräfe und Unzer Verlag GmbH**, Munich (Alemania)

© de la edición en castellano, 2010
Editorial Hispano Europea, S. A.
Primer de Maig, 21 · Pol. Ind. Gran Via Sud
08908 L'Hospitalet - Barcelona, España.
E-mail: hispanoeuropea@hispanoeuropea.com
Web: www.hispanoeuropea.com

© de la traducción **Enrique Dauner**

Depósito Legal: B. 472-2010

ISBN: 978-84-255-1906-2

Impreso en España
Limpergraf, S. L.
Mogoda, 29-31 (Pol. Ind. Can Salvatella)
08210 Barberà del Vallès

Microcosmos del nano-acuario

Los nano-acuarios son los enanos del mundo de los acuarios, muy pequeños, con unos 30 o 50 cm de longitud y una capacidad de menos de 35 litros. Con algunos conocimientos y cierta habilidad, conseguirá crear un espléndido microcosmos en el que diminutos peces y crustáceos de colores espectaculares podrán convivir con preciosas plantas acuáticas.

Terminología

Cuando los antiguos griegos pronunciaban la palabra *nanos*, poco podían imaginar que dos mil años más tarde se convertiría en una expresión de moda. Para ellos, *nanos* solamente significaba «enano».

¿Todo «nano»?

En la actualidad no sólo conocemos la nano-tecnología, sino que en los últimos años también se han ido popularizando los nano-acuarios. Pocos aficionados saben que antiguamente los acuarios eran muy pequeños. Según las consideraciones actuales tendrían la categoría «nano», ya que el vidrio era caro y construir acuarios de más de 50 cm de longitud suponía mucho trabajo. No existe ninguna definición formal de lo que es un nano-acuario, pero se suele aceptar como tal cualquiera cuyas medidas sean inferiores a las del típico acuario de principiante, es decir, 60 x 30 x 30 cm y 54 litros. En las tiendas especializadas se pueden encontrar nano-acuarios de entre 5 y 35 litros de capacidad.

¿Por qué un mini acuario?

Muy sencillo: un nano-acuario nos ofrece las condiciones ideales para mantener peces muy pequeños, crustáceos de agua dulce y caracoles que en un acuario grande pasarían desapercibidos. En este microcosmos también resulta más sencillo satisfacer las necesidades de alimentación y calidad del agua de los minúsculos pobladores, sobre todo porque las cantidades a emplear son menores. Y otro aspecto muy a tener en cuenta es que un acuario de estas características apenas requiere el espacio de un folio DIN A4 y se puede colocar en (casi) cualquier sitio. Además, permiten conseguir un efecto similar al de los acuarios grandes ya que todos los elementos también son de menor tamaño. Sin embargo, los acuarios en miniatura también tienen sus inconvenientes, ya que su reducido volumen de agua muestra con más facilidad los efectos de cualquier error de mantenimiento. Por lo tanto, un nano-acuario requiere más atención que uno grande.

El pequeño mundo de los nano-acuarios

Si desea instalar un nano-acuario, tendrá que empezar por decidir la forma y el tamaño que quiere que tenga. Puede elegir uno de los equipos completos que venden en las tiendas de acuarios, o bien optar por montar la instalación usted mismo.

Tamaño

Los peces, los cuidados y los medios técnicos a emplear no serán los mismos en un acuario de 12 litros que en uno de 35. La decisión depende únicamente de usted. A lo mejor desea tener un solo animal o una única planta –como una «joya»– y le basta con un acuario de 12 litros. Pero si lo que desea es conseguir una mini-comunidad de seres vivos que reproduzca algún biotopo determinado, por ejemplo, con dos especies de peces y varias de plantas, entonces su nano-acuario deberá contener por lo menos 35 litros. Dejando aparte esas consideraciones, no es re-

La magia del nano-acuario depende tanto de la elección de animales y plantas como de la composición estética del conjunto.

comendable adquirir ningún acuario de menos de 12 litros, ya que en ellos no se pueden cuidar bien ni siquiera los animales más pequeños.

Cuidado, en algunos países, la legislación que regula el trato a los animales domésticos especifica que el mantenimiento de peces tropicales ha de llevarse a cabo en acuarios con una capacidad mínima de 54 litros, a menos que se trate de especies cuya talla máxima sea muy reducida. Por lo tanto, todas las especies que proponemos en este libro para los nano-acuarios han sido elegidas partiendo de la base de que una instalación de esas características pueda satisfacer perfectamente todas sus necesidades vitales.

Equipos completos «nano»

Los equipos de buena calidad constan de un acuario de vidrio de 30 a 50 cm de arista (con un volumen de 12 a 35 litros), un filtro interior multicámara, una bomba de caudal regulable y una pantalla de iluminación con uno o dos fluorescentes compactos de 9 a 11 vatios integrados en la tapa abatible..

Nano-acuario de montaje propio

En las tiendas especializadas se pueden encontrar acuarios en una gran diversidad de medidas estandarizadas. Las más habituales (largo x ancho x alto = volumen bruto en litros) son: 30 x 20 x 20 cm = 12 l; 30 x 30 x 30 cm = 27 l; 40 x 25 x 30 cm = 30 l; y 50 x 25 x 30 cm = 37,5 l. Naturalmente, si lo desea también puede encargar que le construyan uno a medida. Por ejemplo, si desea un acuario largo y estrecho que reproduzca la sección de un pequeño arroyo, lo mejor será encargarlo de 60 x 20 x 20 cm = 24 l.

Accesorios **imprescindibles**

ACCESORIO	DESCRIPCIÓN
TEMPORIZADOR	Se encarga de encender y apagar la iluminación del acuario proporcionando un fotoperíodo regular para los peces y las plantas del acuario. Existen modelos analógicos y digitales. Se diferencian sobre todo por el precio y porque los digitales suelen ser más engorrosos de manipular.
TUBOS Y CUBOS	Para efectuar los cambios de agua hace falta un tubo de aproximadamente 1,5 m y un cubo o regadera de 10 litros.
RECIPIENTE PARA LA RESERVA DE AGUA	Para realizar los cambios parciales no hay que emplear directamente el agua del grifo, sino que hay que tenerla en un recipiente aparte, especialmente si se trata de agua preparada. Para ello emplearemos garrafas de agua potable de 10 l con tapón de rosca para que no se derramen en caso de volcarse.
ÚTILES DE CAPTURA	Para poder capturar a los peces y otros animales hay que disponer de dos pequeños salabres (de no más de 10 cm de diámetro) de malla fina. A los alevines y los peces muy sensibles es mejor capturarlos con una pipeta para que no entren en contacto con el aire.
LIMPIADORES DE ALGAS	Lo mejor son los estropajos de acero inoxidable («nanas») que se emplean en la limpieza doméstica, aunque también se pueden emplear limpia-algas magnéticos muy pequeños.

Siempre en busca del equilibrio

«Todo lo que entra, ha de salir.» Esta máxima, que naturalmente se puede aplicar a cualquier acuario, es especialmente significativa para los nano-acuarios y su reducido volumen de agua. Un nano-acuario es un mini-ecosistema prácticamente completo y casi cerrado que tan solo se comunica con el exterior por la alimentación de los peces y el intercambio gaseoso (por ejemplo, con la toma de oxígeno del aire). Partiendo de esta base veremos claramente lo siguiente: los restos de alimento no consumido, los excrementos y los animales muertos que nos hayan pasado desapercibidos se quedarán en el acuario. En su mayor parte serán descompuestos por las colonias de bacterias útiles que viven en el suelo y en el filtro, pero estas no hacen sino transformar unas sustancias en otras que, con el tiempo, permanecerán disueltas en el agua del acuario, siempre en función de la población del acuario y del alimento que les suministremos.

Como consecuencia (véase la ilustración) los productos residuales disueltos (de color rojo) contaminan el agua y hay que eliminarlos porque no pueden desaparecer por sí solos. Las bacterias del filtro (en la lupa, a la izquierda) transforman esas sustancias tóxicas en otras menos peligrosas (con una tonalidad rosada en el dibujo), pero que también corrompen el agua a pesar de no ser visibles. La única forma de eliminarlas del circuito del acuario es mediante cambios parciales del agua (la vieja se vacía por un tubo que va a parar a un cubo; la nueva se vierte con una regadera), sustituyéndola por agua nueva, y mediante la acción de las plantas. Las flechas del dibujo nos indican la dirección del agua. Por pequeño que sea el acuario, siempre se cumplirá la afirmación del pionero de los acuarios Guido Hückstedt: «La suciedad sigue siendo suciedad, aunque no la veamos».

agua limpia
agua sucia

La suciedad del agua (flechas rojas) se elimina mediante las bacterias del filtro, las plantas y los cambios de agua (flechas azules).

¿Qué pasa con la suciedad en el nano-acuario?

Los principales responsables de los detritos disueltos en el agua son las proteínas aportadas por la alimentación y después de la descomposición inicial quedan en forma de amoniaco (tóxico) o amonio (menos tóxico). A pesar de que una elevada concentración de amonio no es especialmente peligrosa, sí que puede provocar una importante mortandad de peces, ya que este solo puede existir en agua ácida (con un pH inferior a 7; véase la página 15), pero si se produce un cambio del pH hacia valores alcalinos (pH superior a 7) −algo que puede suceder al cambiar el agua y poner agua del grifo− se transforma de inmediato en amoniaco. Y ese sí que es muy tóxico. Los animales del acuario empiezan a boquear súbitamente, y ello no se debe a la falta de oxígeno −como podría parecer−, sino a una intoxicación por amoniaco.

Hay que evitar las intoxicaciones por amoniaco. Las bacterias del suelo y del filtro se encargan de transformar el amoniaco y el amonio, y gracias a eso no se produce una intoxicación masiva cada vez que damos de comer a los peces. Esas bacterias producen nitritos, que también son muy tóxicos, pero después, al intervenir otras bacterias, los transforman en nitratos. Y los nitratos solamente serán peligrosos para los habitantes del acuario si su concentración es muy elevada.

«Rodaje» del acuario. Para que en el acuario puedan producirse estos importantísimos procesos bacterianos es necesario que haya suficientes colonias de bacterias en el suelo y en el filtro. Y en un acuario recién montado esto no es así, porque las pocas bacterias que hayan podido llegar hasta él todavía no han podido reproducirse lo suficiente. Esto necesita su tiempo, por lo general de dos a cuatro semanas,

Los nano-acuarios de menos de 12 litros no son muy apropiados para animales, pero en ellos se pueden realizar hermosas composiciones con plantas acuáticas.

un período que los aficionados a los acuarios conocemos como «fase de rodaje» del acuario. Antes de introducir los primeros pobladores en su nano-acuario, deberá asegurarse de que el rodaje ha sido correcto y que no está poniendo peces antes de tiempo. En la página 28 describimos los diferentes pasos de la fase de rodaje.

Hay que actuar con moderación

Las condiciones fundamentales para el buen funcionamiento de un nano-acuario son poblarlo con pocos peces, alimentarlos con moderación y disponer de un filtro eficaz y con mucho espacio para las colonias bacterianas. Es la única forma de evitar que se acumulen con rapidez una gran cantidad de detritos que en poco tiempo resultarían muy perjudiciales para los habitantes del nano-acuario.

La técnica del nano-acuario

En los comercios especializados encontrará un amplio surtido de aparatos y accesorios. El equipo básico de cualquier acuario consta de pantalla de iluminación, calentador y filtro.

Iluminación

Las pantallas de iluminación para los nano-acuarios pueden estar incluidas en el interior de una cubierta abatible que al mismo tiempo cierra la abertura para dar de comer y disimula los cables y tubos. También existen lámparas especiales para nano-acuarios que se sujetan con unas pinzas a los vidrios laterales. Incluso se puede emplear una lámpara de escritorio provista de una bombilla de bajo consumo y con el pie al lado del acuario. Naturalmente, cualquier lámpara que se emplee deberá estar debidamente homologada y contará con las medidas de seguridad necesarias. Si no emplea una cubierta integral, coloque una tapa de vidrio para evitar que los peces salten del acuario.

La fuente de iluminación dependerá del tipo de lámpara elegida: van muy bien los tubos fluorescentes compactos del tipo luz de día, o los fluorescentes de luz de día T5 con potencias de 9 a 11 vatios. Para un nano-acuario normal con una población moderada de peces y plantas bastarán uno o dos fluorescentes compactos, o uno o dos fluorescentes TD de luz de día. Pero si usted desea montar un nano-acuario de estilo japonés (véase la página 19), necesitará una iluminación más potente. Un accesorio imprescindible para cualquier acuario es el temporizador (véase la página 7).

Calefacción

En los nano-acuarios es recomendable emplear calentadores con termostato graduable y una potencia de 10 o 25 vatios. No hay que emplear nunca calentadores más potentes, ya que calientan el agua demasiado de prisa y pueden crear zonas excesivamente calientes dentro del acuario. En la actualidad se comercializan calentadores muy pequeños, especiales para nano-acuarios, y con el termostato fijo en 25 °C, que es la temperatura ideal para la mayoría de los peces tropicales. Si mantiene varios nano-acuarios que necesitan estar a una misma temperatura, puede ins-

1 La iluminación es fundamental para el buen desarrollo de las plantas. Este tipo de pantallas resultan muy cómodas porque se pueden retirar con facilidad cuando hay que hacer algo en el interior del acuario.

2 En la actualidad existen pequeños calentadores concebidos especialmente para nano-acuarios. Cuentan con un termostato integrado y se pueden disimular con facilidad en la decoración.

talar un termostato independiente en uno de ellos y conectarle varios calentadores (sin termostato). Un termostato independiente también se puede emplear para controlar la temperatura cuando se emplea una esterilla calefactora colocada debajo del acuario.

Filtraje

El filtro se encarga de retener las partículas en suspensión en el agua (filtraje mecánico), así como de descomponer los detritos disueltos mediante el empleo de bacterias que los transforman en sustancias inocuas (filtraje biológico). Dado que el escaso volumen de agua de los nano-acuarios los hace especialmente vulnerables a cualquier error de mantenimiento, es importante emplear filtros de gran capacidad. El volumen del filtro deberá ser del 5 al 10% del volumen del acuario.

Diferentes sistemas de filtrado

› Los cartuchos de esponja y los filtros interiores de pequeño tamaño se accionan mediante un compresor de aire o con una pequeña bomba sumergible. Estos filtros resultan muy eficaces porque el agua circula lentamente a través de una superficie bastante amplia, lo que permite que las bacterias que lo pueblan trabajen sin problemas.

› Los filtros de plancha de gomaespuma también son muy eficaces y constan de una pieza de gomaespuma de forma rectangular. Separan por completo una esquina o uno de los laterales del acuario. La plancha de gomaespuma se corta de forma que sus medidas sean algo superiores a las del interior del acuario, para que se pueda encajar bien entre los vidrios sin dejar rendijas. Detrás de la gomaespuma se coloca un impulsor accionado por un compresor o una bomba que se encargue de succionar el agua a través de la esponja y devolverla al acuario por encima de ella.

› Algunos nano-acuarios comerciales incluyen una pared separadora en su interior que forma una cámara filtrante en la que no solo se pueden colocar las diferentes cargas y la bomba o impulsor, sino también el calentador.

› En los nano-acuarios algo mayores se suelen emplear filtros interiores de cartucho con bomba incorporada. Producen una buena circulación del agua, pero su volumen filtrante es reducido. Elija uno que acepte diferentes cargas y que cuente con una bomba de potencia regulable.

› Los filtros exteriores de mochila se colocan fuera del acuario, disponen de un volumen notable y producen un flujo de agua mucho más laminar.

3 Los filtros de esponja accionados por compresor resultan muy eficaces, pero es necesario que pasen un período de rodaje y que el agua fluya lentamente.

4 Este pequeño filtro de mochila cuenta con una bomba de potencia regulable y se puede cargar con diferentes materiales filtrantes.

El nano-acuario

Luz

La iluminación es fundamental para plantas y animales. Algunas especies necesitan una iluminación intensa, mientras que otras prefieren un ambiente sombrío. La colocación de la lámpara y las plantas flotantes nos permite conseguir una gran variedad de efectos.

Temperatura

Cada especie tiene unas necesidades concretas por lo que respecta a la temperatura, y que es necesario respetar. Hay que elegir animales y plantas con unas exigencias similares.

Filtraje

El filtraje no solo proporciona un agua cristalina, sino que además ha de eliminar las sustancias tóxicas procedentes del metabolismo de los animales. De todos modos, es muy importante efectuar cambios parciales con frecuencia.

Animales

Los peces y los crustáceos se encargan de dar vida y movimiento a este biotopo en miniatura. En los nano-acuarios tan solo viven bien los peces de tamaño muy reducido, como este luchador enano.

Plantas

Las plantas acuáticas no solo mejoran la calidad del agua, sino que también ofrecen refugio a los peces y los crustáceos. Necesitan luz y fertilizantes.

Sustrato

El sustrato es fundamental para las plantas y para muchos peces. Las plantas con raíces necesitan que coloquemos una capa de nutrientes en el fondo.

Comprendamos el agua

Las aguas no son todas iguales, y según las sustancias que lleven en disolución podrán ser aptas o no para animales y plantas. Para el aficionado a los acuarios, los principales parámetros del agua del grifo son la dureza (el contenido en cal) y el valor del pH (ácido, neutro o alcalino). El que podamos emplear o no directamente el agua del grifo dependerá de esos valores, así como de las exigencias de los animales y las plantas que pretendamos mantener. En las tiendas de acuarios podemos adquirir materiales muy sencillos para medir con precisión los principales parámetros del agua.

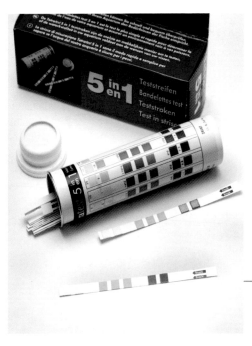

Dureza del agua

La dureza del agua depende de las sales minerales que tenga en disolución. En acuariofília solemos medirla en grados alemanes (°dH). Según la composición química, distinguiremos entre la dureza de carbonatos (KH) y la de no carbonatos (NKH). La diferencia entre ambas está muy clara: los elementos que influyen en la KH pueden precipitar como cal −por ejemplo, al hervir el agua−, mientras que los del NKH permanecen en disolución. Cuando hablamos de la dureza total (GH) del agua, incluimos ambos tipos de dureza.

Diferentes grados. Las aguas podemos clasificarlas en cinco grupos según su dureza:

> Agua muy blanda: 0 - 3
> Agua blanda: 3 - 7
> Agua algo dura: 7 - 14
> Agua dura: 14 - 21
> Agua muy dura: más de 21

Importante para el acuario. A nivel de acuarios, la dureza de carbonatos es mucho más significativa que la de no carbonatos, ya que suele ser la más importante en el agua del grifo. La tolerancia a la dureza del agua varía mucho según las diferentes especies. Muchas pueden vivir y reproducirse perfectamente en aguas duras o incluso muy duras, mientras que otras las toleran para vivir pero no llegan a reproducirse en ellas. A las especies más exigentes −generalmente propias de aguas negras− tan solo podemos mantenerlas en agua muy blanda (véase la página 16).

Para medir los parámetros del agua también se pueden emplear tiras multi-test, pero no son muy precisas y solo deben emplearse como orientación.

Grado de acidez

Otras características muy importantes del agua del acuario son las que vienen definidas por su grado de acidez, es decir, por el contenido en ácidos y bases. El grado de acidez del agua se expresa mediante el factor pH, cuyo valor puede situarse entre 0 y 14. Si el pH es inferior a 7, se dice que el agua es ácida; si es igual a 7 será neutra; y si es superior a 7, será básica o alcalina.

Sustancias que influyen en el carácter ácido o alcalino del agua. Por sí solo, el valor del pH no nos indica cuáles son los ácidos o las bases presentes en el agua o, dicho de otro modo, qué sustancias son las responsables del valor medido. Tanto en la naturaleza como en el acuario, las principales sustancias que influyen en el carácter ácido o alcalino del agua son:

› Ácido carbónico: se produce al disociarse el dióxido de carbono en el agua. El dióxido de carbono está presente en el aire y pasa al agua a través de la superficie o por los aparatos de aireación. Un difusor demasiado potente añadirá dióxido de carbono al agua en exceso. Aunque en algunos acuarios es necesario añadir dióxido de carbono al agua para potenciar el desarrollo de las plantas (véase la página 53).

› Ácidos húmicos: pasan al agua por el contacto con ciertas materias de origen vegetal, como el granulado de turba, y le dan una tonalidad amarillenta.

› Carbonatos: aumentan la alcalinidad y aparecen cuando el agua fluye sobre rocas ricas en carbonatos, como la caliza. El agua del grifo suele ser alcalina porque contiene muchos carbonatos.

Relaciones entre estos parámetros

La dureza de los carbonatos, el ácido carbónico y el valor del pH son factores que se influyen mutuamente. Es decir, que no se puede alterar uno de estos parámetros (por ejemplo, la dureza de los carbonatos) sin que se modifiquen en mayor o menor medida los otros dos. Es muy importante tener en cuenta esa interrelación, si se pretende preparar un agua pobre en carbonatos para peces de aguas blandas (véase la página 16) o si se van a fertilizar las plantas mediante la adición de dióxido de carbono.

Se trata de esto. El agua con una dureza de carbonatos extremadamente baja (inferior a 1 °dKH) puede aumentar mucho su acidez, aunque tan solo se le añada una pequeña cantidad de ácido carbónico; la definimos como «mal tamponada». Por lo tanto, incluso el agua más blanda deberá tener una dureza de carbonatos de por lo menos 0,5 °dKH que asegure cierto efecto tampón y evite una caída del pH hasta valores letales.

El precioso *Danio margaritatus* se ha convertido en una de las especies favoritas para los nano-acuarios. Es una especie algo tímida que necesita una densa vegetación para sentirse a gusto.

Cómo preparar el agua adecuada

Si la dureza y el pH del agua del grifo son los adecuados para mantener a los animales, podremos emplearla para el nano-acuario –siempre que no contenga nitritos ni esté contaminada con pesticidas o metales pesados–. Sin embargo, el reducido volumen del nano-acuario hace que sea ideal para mantener y reproducir especies muy exigentes respecto a la calidad del agua, ya que es fácil preparar aguas especiales en pequeñas cantidades y disponer siempre de una reserva.

Bidones de reserva. Es conveniente guardar en bidones de plástico una cantidad de agua de reserva equivalente a una o dos veces el volumen del acuario. A continuación se explica el modo de preparar el agua que mejor se adapta a sus necesidades.

¿Qué agua según las exigencias?

Para averiguarlo deberá empezar por conocer los parámetros del agua del grifo, así como los del agua

Algunos productos de origen vegetal contienen ácidos húmicos que se pueden emplear para bajar el pH del agua del acuario.

que necesitan sus animales y plantas. Las descripciones de especies que encontrará en este libro (a partir de la página 32) le resultarán muy útiles para hacer la elección.

Agua del grifo (sin cloro). Suele ir bien, pero es preferible dejarla reposar durante toda la noche antes de emplearla en el acuario. De todos modos, las características del agua varían mucho de unas regiones a otras y conviene asegurarse de su calidad.

Agua blanda y ligeramente ácida. Es la ideal para muchas especies, ya que es el tipo de agua que se suele encontrar en muchas regiones tropicales. Además, en ella funciona mejor el aporte de dióxido de carbono a las plantas.

Preparación del agua blanda

Para preparar agua blanda para el acuario hay que mezclar agua del grifo (dura y alcalina) con agua muy blanda. También se la puede filtrar con materiales que eliminen la dureza. Si luego resulta que disminuye la dureza, pero sigue conservando un pH alto, habrá que añadir sustancias para acidificarlo (véase a la derecha).

Hay varias formas de conseguir agua completamente desmineralizada:

> Tiendas de animales o de suministros: resulta cara y solo suele emplearse para salir del paso en momentos de apuro.
> Ósmosis inversa: mediante un pequeño aparato que se conecta al grifo, se obtienen una parte de agua completamente desmineralizada y tres partes de agua residual (que se va al desagüe). A la larga, sale muy a cuenta adquirir un pequeño equipo de ósmosis inversa en vez de comprar agua desmineralizada.

› Agua de lluvia: es muy blanda, pero hay que asegurarse de que no haya circulado por tejados o conducciones que puedan desprender sustancias nocivas. Hay que empezar a recogerla cuando ya lleve mucho rato lloviendo y se haya limpiado la contaminación del aire. Como medida de seguridad, es preferible filtrarla con carbón activo antes de usarla.

› Intercambiadores de iones: el agua se filtra con resinas intercambiadoras de iones que pueden regenerarse una vez agotadas. Es un método económico, pero regenerar las resinas puede resultar engorroso y requiere práctica en el empleo de productos químicos.

Cómo calcular la mezcla

Para poder mezclar correctamente el agua del grifo con agua desmineralizada es necesario empezar por saber los parámetros de ambas.

Se hace así. Se toma la dureza del agua del grifo (por ejemplo, 18 °dKH) y se le resta la dureza deseada (por ejemplo, 4 °dKH) lo que dará como resultado las partes de agua desmineralizada: 18 - 4 = 14.

Por lo tanto, para conseguir agua de acuario de 4 °dKH a partir de agua del grifo de 18 °dKH y agua desmineralizada de 0 °dKH habrá que mezclar 4 partes de agua del grifo con 14 partes de agua desmineralizada.

Aumentar la acidez del agua blanda

Solo se puede acidificar bien el agua blanda, ya que está menos tamponada. Ponga el agua blanda en un bidón y añádale un puñado de granulado de turba (de venta en tiendas de acuarios) por cada 10 litros. Coloque un difusor de aire en el bidón y mida el pH y la dureza de carbonatos al cabo de 24 horas. Prosiga hasta alcanzar los valores deseados.

Preparación del agua negra

EL CONSEJO DEL EXPERTO
Jakob Geck

¿QUÉ ES?: El agua negra es un agua ácida, muy pobre en sales minerales y con una tonalidad marrón debida a los ácidos húmicos. Sus valores extremos hacen que apenas pueda albergar agentes patógenos. Muchos de los peces enanos más atractivos proceden de biotopos de aguas negras (véase la página 32) y necesitan, al menos para la reproducción, unos valores estables de 0-1 °dKH y un pH5.

¿CÓMO SE HACE?: Emplee exclusivamente agua desmineralizada y sin añadirle agua del grifo. Utilice extractos de uso para acuarios para disminuir progresivamente su pH. Airéela con un difusor y mida de nuevo el pH al cabo de una hora, ya que todavía puede variar.

CUIDADO: El pH suele variar a intervalos algo bruscos, por lo que es necesario dosificar con cuidado el acidificador. Para conseguir la apariencia natural del agua negra se pueden emplear extractos de turba, que no acidifican el agua pero sí le dan cierta tonalidad marrón. El problema de este tipo de aguas es que si no se cuidan bien pueden sufrir un descenso excesivo del pH. Por lo tanto, es muy importante efectuar un cambio parcial de forma regular.

Plantas acuáticas para el nano-acuario

Las plantas son especialmente importantes en los nano-acuarios. Unas plantas sanas proporcionarán oxígeno durante el día, eliminarán parte de los detritos
orgánicos del agua, ofrecerán refugio a los peces y,
además, harán que mejore mucho el aspecto general
del acuario. Incluso en los más pequeños es posible
conseguir magníficos resultados, si se combinan diferentes especies de plantas hasta crear selvas en miniatura en las que puedan ocultarse los peces más
tímidos. También se pueden crear jardines subacuáti-
cos como los de los acuarios de estilo japonés.

Los nutrientes son vitales

Todas las plantas acuáticas necesitan nutrientes en
forma de fertilizantes y dióxido de carbono (CO_2),
necesario para la fotosíntesis. El tipo de fertilizantes
y las cantidades a emplear dependen de la forma en
que se vaya a decorar el acuario.

Acuario para peces y crustáceos. Necesita una iluminación y un aporte de nutrientes medios. Las plantas deben crecer con moderación para evitar que
algunas especies lleguen a desarrollarse demasiado
y colapsen el acuario. Si las condiciones del agua se

Un acuario con diversidad de plantas no solo mantendrá su agua en perfectas condiciones, sino que además ofrecerá multitud de refugios para las especies más tímidas.

adaptan a las necesidades de las plantas, solo habrá que añadir fertilizantes de vez en cuando.

Acuario de estilo japonés. Necesita una iluminación intensa y un buen aporte de nutrientes, ya que se intenta conseguir determinado «efecto paisajístico» en poco tiempo. Si se añaden pocos fertilizantes, las plantas sufrirán por falta de nutrientes. En este tipo de acuarios también es importante añadir CO_2 (véase la página 53). Existen difusores de dióxido de carbono especiales para nano-acuarios y que deberán emplearse siguiendo atentamente las instrucciones del fabricante, ya que un exceso de CO_2 podría resultar perjudicial para los peces.

Fertilizantes

En principio existen dos tipos de fertilizantes, y su empleo depende de la vegetación del acuario.

Los abonos de fondo son para acuarios con sustrato y plantas con raíces. Al montar el acuario, se mezclan con la capa inferior del sustrato (véase la página 26).

Los abonos líquidos aportan nutrientes a todo tipo de plantas. Hay que añadir la cantidad adecuada después de cada cambio parcial del agua. También existen dosificadores automáticos.

En la página 52 se explica el modo adecuado de abonar las plantas del nano-acuario.

A las gambas abeja les gusta buscar su alimento entre las masas de plantas acuáticas.

Acuarios de plantas sin sustrato

A veces puede interesar emplear solamente plantas flotantes o plantas epífitas sujetas a un tronco o a una piedra. Son ideales para acuarios con fondo de arena poblados con loricáridos, o bien para acuarios con fondo de hojarasca. Se nutren con abonos líquidos.

Elección y cuidado de las plantas

En los nano-acuarios tan solo podrán emplearse plantas de crecimiento reducido. Asegúrese de que sus necesidades respecto a la calidad y la temperatura del agua coinciden con las de los peces. Hay plantas que si viven permanentemente en un agua muy dura acaban por degenerar y marchitarse. Nuestras descripciones de especies (véanse las páginas 20 y 21) le ayudarán a elegir las más apropiadas.

Principales especies de plantas para nano-acuarios

Una plantación equilibrada enriquece mucho
cualquier acuario, por pequeño que sea. Las plantas que
le proponemos en estas dos páginas son muy adecuadas
y fáciles de cuidar.

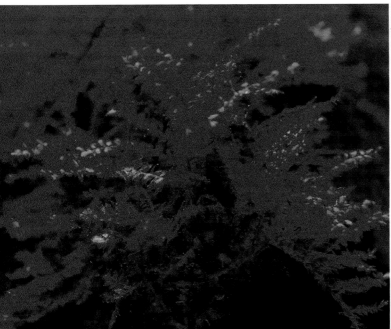

MUSGO DE JAVA (*Vesicularia dubyana*): Como masas compactas o sujeta a troncos y piedras. No tolera durante mucho tiempo las temperaturas superiores a 28 °C.

RICCIA (*Riccia fluitans*): Planta flotante robusta y cosmopolita que también se puede sujetar a troncos y piedras mediante un hilo de nailon (véase la ilustración de la página 29). Necesita mucha luz y nutrientes. Forma masas compactas muy decorativas.

CRIPTOCORINA ENANA (*Cryptocoryne parva*): Es la menor de las criptocorinas y apenas alcanza una talla de 2 o 5 cm. Cubre el fondo y es ideal para colocarla en primer término. Vive bien en acuarios con luz tenue y agua dura.

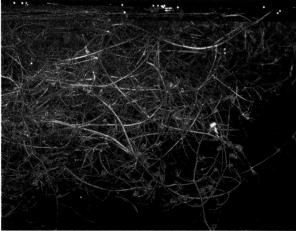

UTRICULARIA (*Utricularia gibba*): Planta flotante que tolera aguas ácidas y extremadamente blandas. Ideal para acuarios de aguas negras.

EQUINODORO ENANO (*Echinodorus tenellus*): Planta tapizante, decorativa y de apenas 5 cm. Ideal para colocar en primer término. Necesita un agua de dureza media y una temperatura de 20 a 28 °C. Agradece la adición de dióxido de carbono

ANUBIA ENANA (*Anubias nana*): Planta robusta, epífita y de crecimiento lento. Hay que sujetarla a troncos, raíces o rocas. Su rizoma no se debe plantar nunca en el sustrato.

HELECHO DE JAVA (*Microsorum pteropus* «Windelov»): Planta decorativa, epífita y poco exigente, adecuada para nano-acuarios no demasiado pequeños. Tolera bien aguas blandas y ácidas. Hay que sujetar sus raíces a troncos o piedras.

POGESTOMON (*Pogestomon helferi*): Necesita luz intensa y un agua blanda o de dureza media. Se la puede plantar en el sustrato e emplearla como epífita. Es algo más delicada que las demás.

Los primeros pasos

Hasta aquí hemos visto las condiciones teóricas del nano-
acuario y los medios técnicos necesarios para su realización.
Ahora se trata de poner en práctica esos conocimientos y montar
un acuario que cumpla los requisitos ideales para los habitantes
que pensamos mantener en él.

Cuidados necesarios

Las diferentes especies nos plantean también exigencias diferentes, y deberemos tenerlas en cuenta a la hora de construir y cuidar el nano-acuario. Como siempre, las principales pautas nos vendrán indicadas por el medio natural del que proceden los animales y las plantas con que pensamos poblar el acuario. Hay dos puntos que siempre deberemos tener muy presentes.

El acuario ideal para el animal adecuado

Un nano-acuario que funcione perfectamente es como un organismo equilibrado: si el tamaño, la decoración, la técnica, la calidad del agua y la alimentación satisfacen plenamente las necesidades de las especies que lo habitan, el acuario se convierte en un microcosmos. Por el contrario, si no hay equilibrio biológico el acuario no será más que una pequeña caja de vidrio llena de agua. Para coordinar todos los factores hace falta tener cierta habilidad. Para que los principiantes también puedan tener éxito desde el primer momento, a partir de la página 32 ofrecemos cuatro combinaciones de animales y plantas que resultan perfectas para un acuario de 25 litros. Si desea iniciarse con otras especies deberá empezar por informarse a fondo sobre sus necesidades. Sin embargo, lo más probable es que le baste con modificar un poco alguno de los cuatro modelos que le proponemos.

Hay que dedicarle algunos minutos al día

Los nano-acuarios necesitan algo más de dedicación que los demás tipos de acuarios. Pero esto no significa que requieran varias horas de cuidados cada día. Bastará con un par de minutos. Su trabajo consistirá en alimentar de forma adecuada a los animales, controlar su estado de salud, asegurarse de que todos los aparatos funcionen bien y preparar agua y alimentos para los próximos días. Los animales de pequeño tamaño disponen de pocas reservas energéticas y no suelen tolerar bien la falta de comida o los malos cuidados.

Hábitats naturales de la nano-fauna

Para poder cuidar bien a los pobladores del acuario es importante saber cuáles son las condiciones en que viven en su medio natural. Los animales del nano-acuario pertenecen a grupos muy diversos. Lo único que tienen en común es su reducido tamaño, característica que les ha permitido colonizar nichos ecológicos imposibles para especies más grandes. Los peces pequeños soportan las corrientes fuertes mucho peor que los grandes, ya que no disponen de la musculatura necesaria para ello, pero al mismo tiempo les resulta más fácil buscar alimento en espacios reducidos y protegerse allí tanto de las corrientes como de los predadores. En aguas abiertas serían unas presas muy fáciles.

A continuación veremos ejemplos de los tres principales hábitats poblados por peces pequeños y gambas de agua dulce. Las descripciones pueden servir como orientación para la decoración del acuario.

Aguas estancadas con mucha vegetación

Si la calidad del agua y las condiciones de iluminación lo permiten, la mayoría de las aguas estancadas suelen poseer una densa población de plantas acuáticas de hojas finas. Charcas, estanques, lagunas e incluso zanjas pueden llegar a estar completamente saturadas de vegetación. En las aguas cuyas características fisicoquímicas impiden el crecimiento de las plantas (como las aguas negras, véase la página 17), las plantas terrestres colgantes son las que generan un hábitat equivalente al de las especies acuáticas. Los peces gregarios, como los tetras y los barbos, suelen buscar su alimento en los márgenes de esta capa vegetal. Así están siempre a cubierto y pueden ponerse a salvo de inmediato en caso de peligro. Entre las plantas de hojas finas solemos encontrar peces solitarios y de movimientos lentos que van en busca de las presas pequeñas que abundan en esos lugares. Por otra parte, los siluros de boca chupadora repasan las hojas anchas de otras plantas para consumir las algas y los pequeños animales que crecen sobre ellas. Los machos de los peces luchadores y guramis enanos construyen sus nidos de espuma bajo la superficie de estas aguas cenagosas y pobres en oxígeno. Los loricáridos escarban en el suelo blando alrededor de las plantas en busca de gusanos y larvas de insectos.

Este arroyo lleno de vegetación es el hábitat natural de *Dario dario*. A este pez le gusta mucho permanecer cerca de la orilla.

Arroyos de la selva

El agua de algunos arroyos apenas alcanza un nivel de pocos centímetros. Por eso, en estas aguas generalmente claras y relativamente frescas solo solemos encontrar peces muy pequeños. Estos arroyos de selva son el hábitat de muchas especies de peces y crustáceos. Los *Epiplatys* viven justo debajo de la superficie y se alimentan sobre todo de los insectos que caen al agua de la vegetación ribereña. Otros killis, como el Cabo López, también suelen permanecer bajo la superficie y cerca de la orilla para alimentarse de insectos. Los gobios y las gambas prefieren los fondos de hojarasca. Los primeros también suelen desovar entre la hojarasca. Además de la hojarasca, muchos peces gregarios también aprovechan las raíces de los árboles para ocultarse y desovar entre ellas. El fondo de estos arroyos suele ser arenoso con algo de gravilla. Los barbos y los peces gato buscan su alimento en el fondo. Si los árboles dejan que llegue suficiente luz a las aguas, en algunas zonas llegan a prosperar plantas acuáticas de hojas alargadas que crean unos remansos de aguas tranquilas incluso en arroyos de curso rápido, y que constituyen un excelente refugio diurno para especies nocturnas. Es curioso que los peces de esos pequeños arroyos de la selva sean precisamente los que tienen un colorido más atractivo. Sus escamas reflectantes muestran todo su esplendor cromático aprovechando la poca luz solar que se filtra a través de las copas de los árboles. Así pueden lucir su espléndida librea durante el cortejo nupcial.

Aguas poco profundas

En las cuencas de los grandes ríos también podemos encontrar hábitats en los que los peces pequeños pueden ponerse a salvo de los predadores a la vez que encuentran alimentos en abundancia. En los re-

En este arroyo de aguas negras de Tailandia observamos una gran cantidad de rasboras enanas evolucionando entre los juncos de la orilla.

mansos, los brazos de río y las zonas de selva inundadas durante la época de lluvias es frecuente que el fondo esté cubierto por una capa de hojarasca de hasta medio metro de espesor. Las hojas en descomposición son una fuente de alimento para muchos seres pequeños, en especial gambas, a la vez que atrapan todo tipo de partículas alimenticias a la deriva. Todos los animales aprovechan las inundaciones que se producen durante la época de lluvias para alimentarse en abundancia, efectuar grandes desplazamientos y reproducirse.

Lo mismo sucede en los ríos que discurren por las sabanas. Se desbordan creando charcas y amplias extensiones de aguas poco profundas en las que prosperan los killis.

El montaje paso a paso

El recipiente y los aparatos ya están a punto, las plantas, el sustrato y la decoración permanecen a la espera, y el agua ya está preparada en bidones. Ha llegado el momento de empezar a montar el nano-acuario.

Hay que buscar un buen emplazamiento

Antes de empezar a instalar el acuario deberá elegir el lugar idóneo para colocarlo. Dado que su reducido volumen de agua es bastante sensible a los cambios de temperatura, el nano-acuario ha de ubicarse siempre en lugares a los que no llegue la luz solar directa y que estén alejados de radiadores u otras fuentes de calor. También es importante que sea un sitio tranquilo y sin vibraciones, como la sala de estar. Algunos peces son muy asustadizos y se estresan con facilidad si hay demasiada actividad delante del acuario. Colóquelo sobre una superficie plana cubierta con un material aislante y elástico (como una placa de porexpán) que absorba las posibles irregularidades y evite una rotura del vidrio.

Sustrato y decoración

Si va a colocar plantas con raíces deberá poner una capa de 5 cm de arena de cuarzo (arena de río) o gravilla (sin cantos vivos) con un grano de hasta 2 mm. Mezcle una cantidad moderada de abono con la capa inferior del sustrato (véase la página 19). Si va a prescindir de plantas con raíces bastará con poner una capa de arena de 1 cm. Como materiales decorativos sobre todo se emplean raíces de turbera o Mopani (de venta en tiendas de acuarios), así como rocas no calcáreas.

Preparación

Si trabaja metódicamente, paso a paso conseguirá un buen resultado a la primera.

Lavar el sustrato, las raíces y las piedras. La gravilla y la arena de río contienen muchas partículas que al llenar el acuario podrían enturbiar el agua. Por eso es mejor lavarla en un cubo bajo un chorro de agua (del grifo o con una manguera) hasta que esta salga limpia y sin impurezas. Los demás materiales decorativos también suelen estar sucios o polvorientos, por lo que habrá que lavarlos del mismo modo.

Preparación de las plantas. Si las plantas vienen en macetas, hay que retirar con cuidado la maceta y el sustrato que la acompaña. Las raíces muy largas se recortan hasta dejarlas en 3 o 4 cm. Las plantas recién compradas es recomendable desinfectarlas durante 20 minutos en un baño de alumbre (1 cucharadita de alumbre por cada litro de agua). Así se evitará la apa-

Muchos carácidos pequeños se sienten a sus anchas en acuarios con el fondo cubierto de hojarasca.

rición de caracoles y otros huéspedes indeseables. Después del baño hay que aclararlas bien bajo el grifo. Para sujetar las plantas epífitas a rocas y raíces se emplea hilo de nailon o hilo de algodón negro; a veces también se utilizan redecillas para el pelo (véase la ilustración de la página 29).

Preparación de los aparatos. Montar e instalar todos los aparatos siguiendo las instrucciones de los fabricantes, de forma que queden listos para la puesta en marcha.

Dibujar un esquema de la distribución interna del acuario. Resulta muy útil realizar un esquema indicando la forma en que se agruparán las plantas y los demás elementos de la decoración del acuario. Así se evita tener que hacer cambios en la decoración cuando el acuario ya esté poblado con peces y otros ani-

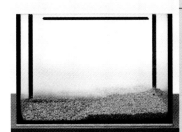

Paso 1. Según el tipo de plantas que se utilicen, se colocará una capa de sustrato de 1 a 5 cm de espesor. La parte inferior estará mezclada con abono de larga duración. Alisar el fondo con la mano o con una espátula. Colocar las rocas y las raíces, incluyendo las plantas epífitas, y anclarlas bien en el fondo para que no se muevan. Instalar los aparatos de modo que solo se tengan que poner en marcha.

Paso 2. Colocar una taza sobre el fondo y verter el agua en ella para que no se remueva el sustrato. Emplear unas pinzas para colocar muy juntas las plantas tapizantes. Las plantas largas se situarán en los laterales y las anchas en el centro del acuario. Llenar el acuario y poner en marcha los aparatos.

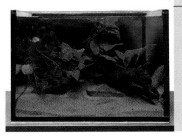

Paso 3. Durante las siguientes semanas, el acuario estará en fase de rodaje (véase la página 28). Mientras las plantas vayan arraigando y las bacterias colonicen el suelo y el filtro habrá poco que hacer en el acuario. Los peces y otros animales solo habrá que introducirlos cuando el acuario ya haya madurado lo suficiente (véase la página 44).

males. Al distribuir las plantas hay que tener en cuenta sus diferentes formas y velocidades de crecimiento. Las criptocorinas, anubias y helechos de Java son de crecimiento lento, mientras que las plantas tapizantes y las de tallos largos suelen desarrollarse a gran velocidad.

› Las plantas tapizantes se colocan en primer término con una separación de 1 o 2 cm entre ellas; pronto formarán una superficie uniforme.

› Las plantas altas se sitúan sueltas y de modo que tengan algo de espacio para seguir creciendo; no hay nada más feo que ver a una planta majestuosa «aplastada» contra una esquina.

› Las plantas epífitas –al contrario de lo que sucede con las demás– pueden cambiarse fácilmente de sitio junto con su sustrato para conseguir un efecto más estético.

Fase de rodaje: el paso más importante

Una vez montado el acuario y puesto en marcha, hace falta «rodarlo». Durante las primeras dos a cuatro semanas el acuario irá ganando actividad biológica, es decir, habrá bacterias útiles que irán colonizando el sustrato y el filtro, materiales que al principio eran estériles. La fase de rodaje consta de los siguientes pasos:

› El día del montaje, el acuario es un medio biológicamente muerto. Apenas hay bacterias útiles en el sustrato y en el filtro.

› Al cabo de un día ya hay en el agua sustancias tóxicas procedentes de la descomposición de pequeñas cantidades de residuos orgánicos, como algún material vegetal. Al segundo día aparecen más sustancias tóxicas, en especial nitritos, que son muy peligrosas para peces y crustáceos. Por el momento no se han desarrollado suficientes bacterias para neutralizarlas.

› Pasadas dos o tres semanas, las colonias bacterianas serán lo bastante numerosas como para transformar los nitritos en nitratos, que son mucho menos peligrosos.

› Pasadas estas dos o tres semanas se analizará el agua (con productos para acuarios). Si ya no hay nitritos podrá deducirse que se ha estabilizado la capacidad de autolimpieza del acuario, y habrá llegado el momento de introducir los peces y otros animales.

› A partir de ahora siga controlando de forma periódica la concentración de nitritos, por lo menos cada tres días.

› Finalizadas las dos o tres semanas de rodaje del acuario habrá que proceder a cambiar cada semana entre un cuarto y un tercio del agua para evitar que se acumulen nitratos y otros detritos orgánicos.

Cómo acortar la fase **de rodaje**

Como ya hemos visto en el texto, el rodaje del acuario requiere su tiempo. Sin embargo, existen algunos trucos que permiten aumentar la población inicial de bacterias. Así, se puede emplear material filtrante usado procedente de un acuario que ya lleve un tiempo en funcionamiento, o recurrir a los «iniciadores» que se pueden adquirir en cualquier tienda de acuarios. También existe otro método que suele proporcionar buenos resultados: se vierte en un recipiente un puñado de tierra sin abonos ni contaminantes, se añade un litro de agua, se remueve bien y se deja reposar de dos a tres horas. Cuando el agua esté bien clara, se cuela con cuidado para eliminar cualquier resto de tierra y se vierte en el nano-acuario. Con estos trucos se puede reducir el rodaje a una semana.

PLANTAS SUJETAS: Las plantas epífitas, como el helecho de Java, los musgos y las anubias enanas, producen órganos de fijación para sujetarse a diversos tipos de soportes, pero al principio es necesario atarlas con hilo de nailon o de algodón para evitar que se suelten. Estos hilos pueden retirarse al cabo de unas cuantas semanas. Los materiales que se descomponen con el paso del tiempo, como el algodón, tienen la ventaja de que no hace falta quitarlos.

PIEDRAS Y RAÍCES: En la actualidad se comercializa una amplia variedad de rocas y raíces naturales. Elija ejemplares pequeños y que no dominen demasiado el acuario. Antes de emplear las raíces hay que lavarlas bien o hervirlas en una olla. No utilice nunca raíces recogidas en el bosque, ya que se pudrirían. Las piedras no deberán ser calcáreas. Vierta una gota de salfumán sobre la piedra: si aparece espuma, es calcárea.

CUEVAS: A muchos peces les gusta esconderse en cuevas. Podemos hacerlas fácilmente con trozos de bambú, cáscaras de coco partidas por la mitad o incluso con tubos de plástico. También se venden cuevas realizadas en arcilla.

Diferentes tipos de nano-acuarios

Existen muchas posibilidades de acondicionar un nano-acuario de forma que cumpla tanto funciones estéticas como biológicas. Lo principal es que el agua y la decoración satisfagan las necesidades de sus moradores y que estos –en el caso de que convivan varias especies– sean totalmente compatibles. En las próximas páginas describiremos cuatro tipos de nano-acuarios y daremos sugerencias respecto a su montaje, vegetación y cuidados. Para cada uno de ellos citaremos por lo menos tres especies de animales que se adapten perfectamente a esas condicio-

nes. Todos los datos citados hacen referencia a un acuario de 25 litros. También se indica si algunas especies (como las gregarias) pueden necesitar un acuario algo mayor. En los nano-acuarios de 12 litros solo puede mantenerse una única especie.

Elección de los pobladores

En el campo de los acuarios se comercializan varios centenares de especies de peces y crustáceos, pero solo una pequeña parte de ellas son aptas para los nano-acuarios. ¿Cómo habrá que hacer la elección?

> Los nano-acuarios pueden ubicarse en los lugares más diversos de la casa. Lo mejor es dedicarles un rincón tranquilo alejado de ventanas y radiadores.

› Elija tan solo aquellas especies que conserven una talla muy pequeña. Deben ser animales de como mucho 3,5 cm de longitud (en nano-acuarios de 12 l es mejor de 2,5 a 3 cm), preferiblemente tranquilos, poco asustadizos y sin grandes pretensiones territoriales. Muchas de las especies aptas para los nano-acuarios incluyen el vocablo «enano» en su nombre común.

› Si desea mantener especies que no aparecen en este libro, infórmese detalladamente sobre sus exigencias y asegúrese de poder proporcionarles el agua que necesitan. Los peces de aguas negras o muy blandas es posible que no se desarrollen bien en el agua del grifo, por lo que deberá prepararles el medio acuático apropiado. La alimentación también puede variar mucho de unas especies a otras.

› No elija a sus peces y gambas basándose tan solo en el colorido. Algunas especies presentan unas pautas de comportamiento sumamente interesantes, aunque solo sea durante la época del apareamiento, y su reproducción siempre resulta apasionante. Probablemente le maravillará observar que el gurami roncador enano no solo construye un nido de espuma para proteger los huevos, sino que también emite unos sonidos claramente perceptibles.

› Es muy importante no superpoblar el acuario. En las descripciones de las especies ya indicamos el número máximo de ejemplares a emplear en cada caso. Pero siempre es mejor no llegar a esas cifras.

› Si posee un nano-acuario de mayor capacidad (más de 25 l) y desea mantener varias especies juntas, asegúrese de que sean realmente compatibles y planteen las mismas exigencias. Combine siempre una especie de fondo con otra que viva en las capas medias o superiores del acuario. Un nano-acuario es demasiado pequeño para albergar a dos especies que compitan por una misma zona.

Han de sentirse protegidos

EL CONSEJO
DEL EXPERTO
Ulrich Schliewen

¿POR QUÉ NECESITAN PROTECCIÓN?: En la naturaleza, la mayoría de los peces tienen enemigos y necesitan poder ponerse a salvo de sus ataques. Los peces capturados en su medio natural se muestran especialmente asustadizos cuando sucede algo ante el acuario. Proporcióneles escondrijos para que se vuelvan menos tímidos.

ESCONDRIJOS: Emplee plantas flotantes o una densa vegetación lateral para crear rincones en los que los peces se sientan seguros. La vegetación flotante les proporciona seguridad ante los posibles peligros que puedan llegarles desde arriba, como las aves pescadoras. A los habitantes del fondo hay que proporcionarles escondrijos en forma de cuevas, rocas y raíces. Si estos animales saben que pueden «ponerse a salvo» cuando lo necesiten, los veremos con más frecuencia deambulando libremente por el acuario.

BUENOS EJEMPLOS: Combine especies tímidas con otras que no lo sean. En nano-acuarios algo mayores (a partir de 25 litros) puede combinar peces tímidos de las zonas media e inferior (por ejemplo, *Danio margaritatus*) con otros menos tímidos que prefieren las capas más superficiales (por ejemplo, *Epiplatys annulatus*).

América del Sur

Las selvas tropicales de América del Sur albergan la mayor diversidad de peces de agua dulce del planeta, por lo que no deberá extrañarnos que sea precisamente allí donde encontremos más peces enanos. Una gran cantidad de ellos viven en los cursos de agua que discurren por selvas y sabanas. Se trata de aguas pobres en nutrientes que pueden ser desde ligeramente ácidas hasta muy ácidas. Durante la época seca suelen ser aguas cristalinas y con abundante vegetación. Si el agua tiene una tonalidad marrón se la denomina agua negra (véase la página 17). Las aguas negras tienen una vegetación muy escasa o nula.

Especies. Las especies más apreciadas de América del Sur las encontramos entre los carácidos y los loricáridos, pero estos dos grupos solo podrán convivir en acuarios de más de 35 litros. También encontramos killis del genero *Rivulus*, que necesitan los mismos cuidados que los *Aphyosemion* del continente africano (véase la página 35).

Acondicionamiento. Más que ningún otro, los nano-acuarios de ambiente sudamericano lucen por la combinación de peces gregarios multicolores o loricáridos con hermosas plantas acuáticas. Una bonita variante consiste en emplear un fondo de gravilla fina con *Echinodorus* pequeños y plantas flotantes. La decoración puede completarse con una pequeña raíz con plantas epífitas. Los carácidos se refugian entre la vegetación y los machos establecen sus territorios en las zonas despejadas. Si se desea mantener loricáridos, es necesario emplear arena fina en vez de gravilla y colocar las plantas más separadas para que puedan moverse por el fondo.

Población. En principio aplicaremos la siguiente regla: en un nano-acuario de 12 litros solo se puede mantener una especie, mientras que en uno de 25 litros se puede combinar esa especie con tres ejemplares de *Otocinclus sp.* Estos peces ayudarán a controlar las algas. Si el acuario contiene un mínimo de 35 litros, se podrá añadir una especie más.

Particularidades. Si en el nano-acuario se mantienen algunos ejemplares de *Otocinclus sp.* será necesario darles alimento seco vegetal, ya que las algas no suelen ser suficiente.

Nannostomus marginatus

3,5 cm. **Origen:** Amazonia, aguas estancadas y con abundante vegetación. **Cuidados:** agua blanda, algo ácida (pH 6-6,5); 22-26 °C. Vegetación densa con espacios abiertos para nadar. Mantener en grupos de siete, con tres machos y cuatro hembras. Necesita alimento vivo pequeño (como nauplios de artemia), pero también se acostumbra a comer alimentos congelados y alimento seco vegetal. **Compatibilidad:** en acuarios de 25 l se pueden añadir tres ejemplares de *Otocinclus sp.*; en acuarios de 35 l pueden convivir con doce *Hyphessobrycon amandae*. **Especies similares:** *Nannostomus sp.* «Purple», de 3,5 cm.

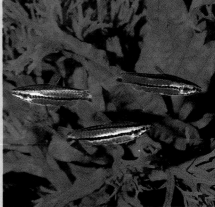

Hyphessobrycon amandae

3 cm. **Origen:** aguas negras del sur de Brasil. **Cuidados:** necesita agua blanda y ácida (pH 5-6); 24-28 °C. Solamente adquiere su color rojizo en agua blanda, ácida y filtrada con turba. Fondo oscuro con vegetación densa. Pez gregario, mantener en grupos de por lo menos doce ejemplares. Alimentos pequeños (cyclops, nauplios de artemia, alimento seco). **Compatibilidad:** en acuarios de 25 l se pueden añadir tres ejemplares de *Otocinclus sp.*; en acuarios de 35 l se pueden añadir seis loricáridos de aguas blandas, por ejemplo, *Aspidoras pauciradiatus*. **Especies similares:** *Paracheirodon simulans*, de 3,5 cm.

Corydoras habrosus

3,5 cm. **Origen**: arroyos de fondo arenoso en Venezuela. **Cuidados:** agua blanda hasta dura (pH 6-7,5); 24-27 °C. Acuario con fondo arenoso y vegetación poco densa. Mantener por lo menos ocho ejemplares. Alimentos congelados, en pastillas y pequeños gusanos. **Compatibilidad:** en acuarios de 25 litros se pueden incluir tres ejemplares de *Otocinclus sp.*; en los de 35 l se pueden añadir siete ejemplares de *Nannostomus marginatus* o doce de *Hyphessobrycon amandae*. **Especies similares:** *C. pygmaeus*, de 3 cm; *Corydoras hastatus*, de 3,5 cm; *Aspidoras pauciradiatus*, de 3 cm.

África Occidental

La mayoría de los peces enanos de África Occidental proceden de los sombríos arroyos que discurren por las selvas tropicales, generalmente con fondos arenosos y acumulaciones de madera muerta. Las plantas acuáticas suelen ser escasas.

Especies. Predominan los barbos enanos y los killis. Estos tienen un colorido especialmente brillante y viven en arroyos en los que el agua apenas llega al tobillo, por lo que parece como si la naturaleza los hubiese adaptado ya a las condiciones de un nano-acuario. Por lo tanto, incluso a los Cabo López de hasta 6 cm podemos mantenerlos tranquilamente en nano-acuarios de 12 litros.

Acondicionamiento. En África Occidental hay pocas plantas verdaderamente acuáticas, pero sí hermosas especies epífitas del género *Anubias*, por lo que se presta a crear un ambiente oscuro con fondo de arena rojiza, raíces y algunas plantas epífitas bien sujetas. Los brillantes coloridos de los killis solo se pueden apreciar con todo su esplendor si la iluminación es tenue. Y esto es algo que tan solo toleran bien las anubias y el musgo de Java. Si el acuario está demasiado iluminado, los peces se muestran asustadizos y con colores apagados.

Población. En los acuarios de más de 35 litros se pueden combinar bien killis y barbos enanos, pero en los de menos de 25 litros hay demasiado poco espacio. En estos solamente se puede cuidar una especie. Los barbos enanos africanos son peces gregarios y necesitan vivir en grupo. Les gusta escarbar en los fondos blandos. Si se desea conseguir la reproducción de los killis, hay que mantener a cada especie por separado.

Particularidades. La mayoría de los killis desovan en musgo de Java cerca de la superficie. Los huevos tienen una cáscara muy dura y pueden recogerse con la mano. Se colocan en una pequeña cubeta aparte, se añade al agua un fungicida de uso para acuarios y se deja la cubeta flotando en el acuario. Eclosionan al cabo de unas dos semanas. Dos o tres días antes hay que cambiar el agua de la cubeta por agua del acuario. Los alevines se pueden mantener en una «paridera» y se alimentan con Liquifry para ovovivíparos (de venta en las tiendas de acuarios). Al cabo de una semana ya se les pueden dar nauplios de artemia.

Epiplatys annulatus

3,5 cm. **Origen:** vive en las aguas estancadas y saturadas de
vegetación de África Occidental, y se alimenta de insectos. **Cuidados:**
agua blanda hasta semidura, algo ácida (pH 6-7); 21-25 °C. Acuario con
una densa vegetación y plantas flotantes. Mantener un macho y tres
hembras. Consume alimento seco y pequeñas presas vivas. Las
hembras desovan en las plantas flotantes. A los alevines hay que
alimentarlos con protozoos en una paridera. **Compatibilidad:** en un
acuario de 35 litros puede convivir con ocho barbos enanos o con seis
u ocho peces de fondo pequeños. **Especies similares:** *Fenerbahce
formosus*, de 3 cm; *Aphyoplatys duboisi*, de 3,5 cm.

Barbus jae
Barbo rojo enano del Camerún

3 cm. **Origen:** Pequeños arroyos de aguas cristalinas en las selvas de
África Central. **Cuidados:** estos vivaces barbos solo son apropiados para
nano-acuarios de más de 25 litros; agua blanda y un poco ácida (pH 5,5-
6,5); 22-24 °C. Acondicionar el acuario con arena fina, raíces y plantas
epífitas. Mantener en grupos de por lo menos ocho ejemplares. Acepta
alimentos vivos y congelados de pequeño tamaño. Reproducción difícil.
Compatibilidad: en un acuario de 35 litros puede convivir con peces de
superficie, como tres ejemplares de *Epiplatys annulatus* o *Aphyosemion
australe*. **Especies similares:** *Barbus hulstaerti*, de 3,5 cm.

Aphyosemion australe
Cabo López

6 cm. **Origen:** arroyos selváticos en la depresión costera de Gabón. Es
insectívoro. **Cuidados:** agua blanda a semidura, un poco ácida (pH 5-6,5);
22-24 °C. Algunas zonas con vegetación densa, y pequeñas raíces para que
se esconda. En un nano-acuario de 12 litros pueden alojarse un macho y
dos o tres hembras. Se nutre de pequeños insectos y alimentos congelados.
Alimento seco solo en caso de necesidad. Desova entre las plantas, y los
huevos pueden colocarse en una paridera flotante. **Compatibilidad:** en un
acuario de 25 litros pueden incluirse ocho barbos enanos. **Especies
similares:** *Aphyosemion elberti*, de 5 cm; *A. exiguum*, de 4 cm

Asia

A los peces enanos asiáticos solemos encontrarlos en masas de agua muy reducidas situadas en bosques y turberas. Son aguas negras y con el fondo cubierto por una gruesa capa de hojarasca. A veces también los hallamos en aguas menos abiertas, claras o turbias, con una densa vegetación. Algunos de estos peces incluso viven en los arrozales inundados.

Especies. Algunas de las especies de estas aguas se cuentan entre los peces más apreciados para los nano-acuarios, como los ciprínidos de los géneros *Danio, Dario* y *Boraras*, y los anabántidos de los géneros Trichopsis, Betta y Paraosphromenus. Los ciprínidos son muy vivaces y activos, mientras que los anabántidos suelen mostrarse algo más retraídos.

Acondicionamiento. Los biotopos anteriormente citados no tienen un denominador común en lo que a la calidad del agua se refiere. En los acuarios de aguas negras hay que filtrar sobre turba y reducir la dureza de carbonatos todo lo posible. En ellos tan solo se pueden emplear unas pocas plantas resistentes a la acidez, como el musgo de Java. La decoración incluirá una fina capa de arena, algunas raíces y hojarasca seca. Por otra parte, en los acuarios con vegetación pueden desarrollarse criptocorinas, musgo de Java, helecho de Java y algunas plantas flotantes como cobertura.

Población. Las rasboras son vivaces y en nano-acuarios de más de 35 litros pueden combinarse con especies del género *Dario* y con pequeños anabántidos. A estos últimos hay que mantenerlos en pareja.

Particularidades. Los peces de agua dulce más pequeños del mundo pertenecen al género *Paedocypris*, y viven en las aguas negras del sureste de Asia. Apenas alcanzan 1 cm de longitud. Se pueden mantener sin problemas en un nano-acuario, pero es raro que lleguen a reproducirse. Los apreciados anabántidos, como el gurami roncador enano, poseen un órgano respiratorio especial situado en la parte posterior de la cabeza que les permite respirar tomando aire atmosférico en la superficie. Recibe el nombre de laberinto.

Boraras maculatus
Rasbora enana

2,5 cm. **Origen:** Malasia. Orillas de aguas estancadas o de curso muy lento con abundante hojarasca o vegetación. **Cuidados:** agua blanda a semidura, y ácida (pH 5-6,5; filtraje sobre turba); 22-26 °C. Plantas de hojas finas y plantas flotantes. Especie gregaria, mantener por lo menos doce ejemplares. Alimento vivo pequeño, y ocasionalmente seco. **Compatibilidad:** en un nano-acuario de 35 litros puede convivir con una pareja de *Dario dario* o de guramis enanos. **Especies similares:** rasbora mosquito *(B. brigittae)*; pez de aguas negras, de 2 cm; rasbora de mancha negra *(B. urophthalmoides)*, de 1,6 cm.

Dario dario

3 cm. **Origen:** arroyos del norte de la India ricos en vegetación. **Cuidados:** agua blanda a semidura (pH 6,5-7,5); 20-26 °C. Vegetación densa y un par de hojas secas grandes como decoración. Especie poco delicada; mantener un macho con dos o tres hembras. Alimentos vivos y congelados de tamaño pequeño, como nauplios de artemia. Desova en musgo de Java; los alevines se independizan pronto y crecen bien. Al principio comen los microorganismos que encuentran en el nano-acuario. **Compatibilidad:** en un acuario de 35 litros puede vivir con doce rasboras enanas. **Especies similares:** *Dario hysginon*, de 3,5 cm.

Trichopsis pumila
Gurami roncador enano

4 cm. **Origen:** aguas con vegetación muy densa. **Cuidados:** pH superior a 5,5; 23-27 °C. Se puede mantener en pareja incluso en acuarios de 12 litros. Alimentos vivos o congelados de tamaño pequeño. El macho delimita su territorio y emite unos gruñidos claramente audibles. Construye un nido de burbujas bajo una hoja ancha y protege los huevos en él. A los cuatro días de la eclosión, los alevines ya consumen nauplios de artemia, pasadas dos semanas se les pueden dar gusanos Grindal. **Compatibilidad:** en un acuario de 35 litros puede convivir con doce rasboras enanas.

Acuario para crustáceos

El éxito de los nano-acuarios está muy relacionado con el aumento de popularidad de que gozan las pequeñas gambas de agua dulce. Por esto, muchas veces los nano-acuarios se venden como «acuarios para gambas».

Especies. Entre las nano-especies favoritas se encuentran las gambas enanas asiáticas de los géneros *Caridina* y *Neocaridina*. En la actualidad, incluso existen variedades conseguidas por reproducción selectiva y por las que en algunos lugares se pagan importantes sumas de dinero. Además de las gambas, también son muy apreciados los cangrejos enanos del género *Cambarellus*.

Acondicionamiento. La mayoría de las gambitas de agua dulce viven en arroyos en los que se ocultan en la hojarasca del fondo, o entre las hojas o raíces de la vegetación ribereña, alimentándose de pequeñas partículas alimenticias que capturan con los rápidos movimientos de sus tenazas. Los cangrejos prefieren las aguas estancadas y ricas en vegetación. Para poder mantener bien a las gambas de agua dulce es necesario alojarlas en un acuario que ya lleve cierto tiempo en funcionamiento y en el que abunden los microorganismos, así como los restos vegetales en descomposición, como la hojarasca de roble y de haya recogida durante el otoño. Como filtro es preferible emplear uno de esponja accionado por compresor de aire (véase la página 11) que no genere una corriente demasiado fuerte. Así pueden consumir los microorganismos que pululan sobre la superficie de la esponja. La decoración será sencilla y constará de un sustrato de grano fino, raíces con musgo de Java y algunas hojas esparcidas por el fondo; no hace falta nada más.

Población. La mayoría de especies necesitan una temperatura no muy elevada, por lo que no combinan bien con la mayor parte de peces tropicales de agua dulce. Una excepción es *Otocinclus sp.*, que en acuarios de 25 litros puede convivir bien con las gambas. A las gambas enanas es imprescindible mantenerlas en grupos de por lo menos diez ejemplares, mientras que a los cangrejos se los puede mantener solos o en pareja.

Particularidades. Muchos crustáceos se reproducen en acuario sin que tengamos que intervenir para nada. Las hembras llevan los huevos bajo su abdomen hasta que eclosionan y salen las larvas. Estas pueden permanecer en el acuario con los adultos.

Cambarellus patzcuarensis
Cangrejo de río naranja enano

4 cm. **Origen:** México. Vegetación de las orillas de aguas estancadas. **Cuidados:** acuario de por lo menos 25 l; agua semidura a dura, nunca ácida (pH 7-8); acuario sin calefacción a una temperatura entre 16 y 25 °C. Filtro poco potente, para que siempre haya restos vegetales en el fondo. Acepta alimento vegetal seco. Mantener en pareja. **Compatibilidad:** no conviene colocar otras especies, ya que este cangrejo es muy tímido y podría ser que no accediese a la comida. **Especies similares:** otras especies del género *Cambarellus*.

Caridina cf. cantonensis
Gamba abeja, gamba «Crystal Red»

2 cm. **Origen:** la «Crystal Red» es una variedad artificial de la gamba abeja del sur de China. **Cuidados:** agua blanda a semidura (pH 6,5-7,5); una temperatura invernal de 10 a 15 °C estimula su reproducción; en verano necesita entre 23 y 30 °C. Mantener un grupo de doce a veinte ejemplares. Consume pienso para conejos (*pellets* troceados) y alimento seco para gambas. **Reproducción:** las hembras fecundadas llevan los huevos durante cuatro semanas hasta que liberan a unas larvas bien desarrolladas. **Compatibilidad:** en una acuario de 35 l se pueden añadir tres ejemplares de *Otocinclus* sp. **Especies similares:** gamba «Red Fire» *(Neocaridina cf. heteropoda)*, de 3 cm.

Caridina cf. babaulti «green»
Gamba enana verde

2 cm. **Origen:** diversos ecosistemas acuáticos desde Myanmar hasta el norte de la India. **Cuidados:** agua blanda hasta semidura (pH 6,5-7); le convienen temperaturas altas de 24 a 26 °C. El acuario ha de estar maduro y deberá contar con una densa vegetación. Gambas tranquilas y gregarias que necesitan vivir en grupos de por lo menos quince ejemplares. Se alimenta con pienso para conejos (*pellets* troceados) y pequeñas cantidades de alimento seco. **Compatibilidad:** en acuarios de 35 l se pueden añadir tres ejemplares de *Otocinclus* sp. **Especies similares:** Gamba enana marrón (*Caridina cf. babaulti* «Malaya»), de 2,3 cm.

Las joyas del nano-acuario

A continuación se describen algunas de las especies más atractivas que se mantienen y reproducen en acuario. Algunas de ellas tan solo se pueden obtener por encargo o contactando con aficionados especializados en ellas.

DANIO MARGARITATUS: Diese Es un pez precioso, gregario y poco exigente. Necesita una vegetación muy densa.

PARAOSPHROMENUS NAGYI: Procede del Sureste Asiático. Los machos en celo son unos de los peces de agua dulce más atractivos. Necesita agua blanda y ácida, así como alimento vivo muy pequeño.

BORARAS BRIGITTAE: La rasbora mosquito procede de las zonas pantanosas de aguas negras de Borneo, lugar en el que también viven otras especies de peces enanos. Es un pez gregario. Necesita agua blanda y ácida.

NEOLEBIAS POWELLI: Este carácido enano es propio de las aguas negras del delta del Níger, en Nigeria. Necesita agua blanda y una iluminación tenue.

DIAPTERON CYANOSTICTUM: Es un killi originario de Gabón. Necesita agua blanda. Mantener un macho con dos hembras.

RASBORA DE AXELROD: Este pez propio de las aguas negras del sureste de Asia luce toda su belleza en acuarios de más de 25 litros.

BARBUS HULSTAERTI: El barbo mariposa es un pez activo y gregario procedente del río Congo. Necesita acuarios de más de 25 litros. No hay que darle demasiado calor; la temperatura ideal es de 22 °C.

NEOCARIDINA SP.: La gamba cardenal vive en las cristalinas aguas del lago Matano, en Sulawesi. Suele permanecer debajo de las piedras. Es una especie sobre la cual se sabe bastante poco.

Adquisición, cuidados y reproducción

El acuario está montado, las plantas están en su sitio y la fase de rodaje ya quedó atrás. Por fin llegó el momento de introducir peces y crustáceos en el nano-acuario. En las siguientes páginas aprenderá lo que ha de observar al realizar la compra, qué cuidados diarios requiere el acuario e incluso cómo sacar adelante a las crías.

Los principales consejos para la adquisición

De entrada, deberá informarse bien sobre dónde conseguir los peces o crustáceos que desea mantener. Es muy importante que adquiera ejemplares sanos y en buenas condiciones, por lo que lo mejor será que se dirija a un comercio especializado de confianza. Déjese aconsejar por otros aficionados con más experiencia, o acuda a alguna asociación de aficionados a los acuarios. En una tienda seria siempre estarán dispuestos a asesorarle y es muy probable que también le pregunten acerca de las condiciones de su acuario. Si usted se interesa por especies raras o difíciles de conseguir, el comerciante podrá echarle una mano y consultar a sus diversos proveedores. Pero también existen algunos animales de acuario muy interesantes y que solo se comercializan de forma ocasional. Déjese aconsejar por el vendedor o busque algún especialista en las asociaciones de aficionados a los acuarios.

Cómo reconocer a los animales sanos

Antes de decidirse a hacer la compra deberá fijarse bien en los futuros habitantes de su acuario y asegurarse de que realmente estén en buenas condiciones. Muchas enfermedades presentan síntomas muy claros, pero por desgracia hay otras que pueden pasar desapercibidas, al menos para un principiante. Por lo tanto, observe a sus candidatos durante un buen rato:

> ¿Comen sin problemas? En caso de duda, pida que le enseñen si comen.
> ¿Muestran la actividad propia de su edad y especie?
> ¿Parecen desnutridos? ¿Tienen el vientre hundido y el dorso aplanado («espalda de cuchillo»)?
> El agua del acuario de la tienda ¿es clara y transparente o presenta la tonalidad verdosa o amarillenta propia de los tratamientos con fármacos?

Muy importante. Nunca hay que comprar peces procedentes de un acuario en el que haya ejemplares enfermos o de aspecto enfermizo.

Transporte e introducción de los peces

Los peces y las gambas se transportan en bolsas de plástico que se llenan con agua hasta un tercio de su capacidad. En tiempo frío, hay que colocar las bolsas en una caja de porexpán o envolverlas con varias capas de papel de periódico. Al llegar a casa, la introducción de los animales en su nuevo hogar deberá hacerse de forma que les provoque el menor estrés posible. Este es el proceso recomendable.

Atemperar. Deje la bolsa cerrada en la superficie del agua del acuario para que permanezca flotando durante una media hora. Así se igualarán las temperaturas.

Aclimatar. Para que los peces se adapten a las características químicas del agua, pasada media hora abra un poco la bolsa y deje que entre un poco de agua del acuario –aproximadamente una cuarta parte de la cantidad que ya hay en la bolsa–. Repita este proceso un par de veces a intervalos de un cuarto de hora.

Introducir. Ahora ya se habrán equilibrado la temperatura y los demás parámetros del agua. Extraiga con cuidado a los animales de la bolsa con un salabre pequeño y libérelos en su nuevo hogar.

Cómo solucionar los problemas iniciales

Después de colocar a los animales en el acuario recién instalado pueden surgir los siguientes problemas.

Presencia de nitritos. A pesar de que al finalizar la fase de rodaje se haya comprobado la ausencia de nitritos en el agua (véase la página 9), es muy posible que estos aparezcan al introducir los peces. Este repentino aumento de nitritos puede deberse a que todavía no haya suficientes bacterias en el filtro o a que se hayan introducido demasiados peces. El problema se soluciona cambiando tres cuartas partes del agua del acuario y repitiendo el proceso a diario hasta que se recuperen los valores normales.

Turbidez. En los acuarios recién montados o que se han renovado a fondo es normal que se aprecie cier-

Los machos adultos de *Dario dario* no muestran todo su colorido hasta que llevan cierto tiempo en el acuario.

Para igualar las temperaturas hay que dejar la bolsa flotando en el acuario durante media hora.

Los peces se capturan con un salabre pequeño y se trasladan al acuario. Así el agua de la bolsa no pasa al acuario.

ta turbidez en el agua. Desaparecerá por sí sola al cabo de como mucho un par de días. ¡No haga nada!

Algas filamentosas. Si ha añadido abono al sustrato es posible que se produzca una proliferación masiva de algas filamentosas. Hay que retirarlas con regularidad enrollándolas con un palito.

Cianofíceas. A veces, a los pocos días de montar el acuario sucede que el fondo, la decoración y las plantas se cubren con una capa de «algas» malolientes y de color verde oscuro. Son fáciles de eliminar, pero al cabo de pocos días vuelven a cubrirlo todo. Se trata de cianobacterias (conocidas también como algas cianofíceas). Por desgracia no disponemos de ninguna receta infalible para eliminarlas, ya que tampoco se sabe cuál es exactamente el motivo de su aparición. Al parecer, esos microorganismos proliferan bien en medios inestables, como el que se genera en un acuario recién montado y que aún está en fase de rodaje. Pero también pueden aparecer cuando se produce algún desequilibrio en el acuario. Lo

mejor es eliminar por completo las capas de bacterias y seguir sifonándolas con un tubo (véase la página 50) durante las siguientes semanas. Suele dar buenos resultados filtrar el agua con turba o añadir algunas hojas de almendro malabar.

Plantas **curativas**

Las hojas del almendro malabar *(Terminalia catappa)* no solo son muy decorativas sino que también desprenden sustancias desinfectantes. Por este motivo, a los animales no les hará ningún daño que añadamos una hoja al agua de la bolsa de transporte o que coloquemos algunas en el acuario. Les sientan especialmente bien a los peces de aguas negras.

Alimentación

En la naturaleza, los habitantes de nuestro nano-acuario tienen una dieta sumamente variada a partir de seres minúsculos, como crustáceos y sus larvas, pequeños insectos que caen al agua, larvas de insectos, gusanos e incluso polen. También consumen materia vegetal en descomposición y diversos nutrientes que encuentran en el limo del fondo. Dado que su organismo está adaptado a esa gran variedad, en el acuario también deberemos proporcionarles una dieta lo más variada posible.

Alimento seco

El alimento seco sigue siendo uno de los favoritos incluso para los aficionados a los acuarios más expertos, ya que es fácil de conseguir y de administrar y satisface las necesidades básicas de muchos peces. A la mayoría de los habitantes del nano-acuario podemos alimentarlos perfectamente con una mezcla de alimento seco en escamas o en granulado muy fino, combinado con alimentos congelados y presas vivas. El que un tipo de alimento sea más o menos adecuado para una especie concreta dependerá de su presentación y de su contenido en nutrientes.

Presentaciones. El alimento seco se comercializa en forma de escamas, granulado, pastillas y polvo. Los peces que nadan en aguas abiertas consumen bien el granulado fino y los copos, mientras que los peces gato prefieren las pastillas que caen al fondo. Los alimentos de buena calidad son ricos en fibra y en carotenos, presentes también en muchos crustáceos. Las espirulinas son unas algas muy ricas en nutrientes. Existen alimentos secos especialmente formulados para gambas de agua dulce.

Preparar raciones reducidas. Dado que los habitantes del nano-acuario consumen muy poco alimento, la mayoría de los envases comerciales nos resultarán demasiado grandes, y el alimento perdería calidad antes de que llegásemos a usarlo. Lo mejor es distribuirlo en raciones muy pequeñas y congelarlo para utilizar cada vez solo lo necesario. El alimento seco se ha de guardar bien cerrado y en la nevera.

A algunas especies les gusta mucho el alimento en pastillas, pero es difícil dosificarlo correctamente.

Alimento congelado

Los animalitos congelados no se mueven, naturalmente, pero contienen prácticamente los mismos
nutrientes que las presas vivas –suponiendo que se
trata de alimentos congelados de buena calidad–. Si
se conservan de forma adecuada, las presas vivas
capturadas en la naturaleza suelen ser mucho más
ricas en nutrientes que los alimentos congelados o
incluso que los alimentos vivos criados en casa. En la
actualidad disponemos de una variedad muy amplia
de alimentos congelados.

**Principales alimentos congelados para nano-ani-
males.** Entre estos se cuentan muchos de los diminutos crustáceos que forman el plancton de las
aguas dulces y cuyo contenido en carotenoides (pig-
mentos naturales de color rojo) los hace especialmente interesantes. Las larvas de mosquito también
son un alimento excelente.

› Las pulgas de agua son uno de los alimentos bási-
cos, como la pulga común *(Daphnia)*, la pulga ja-
ponesa *(Moina)* y las del género *Bosmina*. Son
ricas en fibra y constituyen un buen complemento
para otros tipos de alimento. Una alimentación ex-
clusiva a partir de dafnias puede dar lugar a esta-
dos carenciales.

› Los copépodos, como *Cyclops* y *Diaptomus*, son más
pequeños que la mayoría de pulgas de agua, pero
más ricos en nutrientes. A muchos peces pequeños
se les podría alimentar exclusivamente a partir de *Cyclops*, pero tampoco es aconsejable hacerlo.

› Los nauplios de artemia son la primera fase larvaria
de Artemia salina. Se pueden adquirir los huevos pa-

Las siete reglas de oro **para la alimentación**

ALIMENTO SECO Y CONGELADO	Dar siempre pequeñas cantidades, solo lo que se puede consumir en dos o tres minutos. Los restos de alimento ensucian el agua y hay que retirarlos.	**CALIDAD**	Emplear tan solo alimentos de calidad y que incluyan elementos muy nutritivos, como las espirulinas.	
ALIMENTO VIVO	Se puede administrar en mayor cantidad ya que sigue viviendo en el acuario. Los nauplios de artemia son la única excepción. Dado que viven en agua salada, mueren al cabo de un rato de estar en agua dulce.	**VARIEDAD**	Para satisfacer las necesidades de los animales, lo mejor es combinar distintos tipos de alimentos incluyendo también alimento vivo.	
		EXIGENCIAS ESPECÍFICAS	Tener en cuenta la biología de las diferentes especies: los peces de fondo no comerán en la superficie, y viceversa; las especies nocturnas no suelen comer durante el día.	
ALIMENTO REFRIGERADO	Al comprarlo hay que asegurarse de que no presente indicios de haberse atemperado previamente. Lo mejor es descongelarlo inmediatamente antes de dárselo a los animales y lavarlo en un colador para eliminar partículas pequeñas que no harían más que ensuciar el agua.	**CANTIDAD**	Es mejor dar de comer una pequeña cantidad varias veces al día en vez de alimentar una sola vez y en abundancia, en especial en el caso de peces jóvenes. Les sentará bien un día de ayuno a la semana.	

ra hacerlos eclosionar en casa (véase más abajo). La artemia también se comercializa congelada.

› Las larvas de mosquito negras, rojas o blancas resultan demasiado grandes para la mayoría de peces enanos, pero se pueden trocear. Además, son especialmente nutritivas.

Cuidado. Algunas personas son alérgicas a las larvas rojas. En caso de reacción alérgica, consulte de inmediato a su médico.

Alimento vivo

Aunque los alimentos secos y congelados cubran todas las necesidades nutricionales, el empleo de alimento vivo sigue resultando muy útil y para algunos

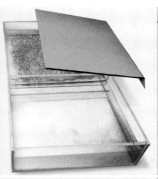

1. Nauplios de artemia: los nauplios se concentran en la zona a la que llega la luz y así es más fácil capturarlos.

2. Gusanos Grindal: hay que renovar el cultivo cada tres meses. Mantenga varios ya que no todos funcionan igual de bien.

peces es incluso imprescindible, ya que solamente consumen presas en movimiento, y esto sucede con muchos de los habitantes del nano-acuario, como algunas gambas y peces, por ejemplo, *Dario sp.*, killis y guramis enanos.

Formas de conseguir alimento vivo. Se puede conseguir alimento vivo por varias vías.

› Las tiendas de acuarios suelen disponer de ellos, pero la oferta varía en función de la época del año. Muchas veces estas presas son demasiado grandes para los peces y crustáceos del nano-acuario.

› Lo ideal es capturar el alimento vivo uno mismo, pero para ello hay que disponer del material de captura adecuado (salabres con una malla de menos de 80 µm), tener alguna charca cerca de casa y disponer del permiso necesario para acceder a ella. Por lo tanto, es algo que no está al alcance de cualquiera. Además, hay que mantener a las capturas en recipientes con aireación y cribarlas por tamaños. En Internet se puede encontrar toda la información necesaria al respecto.

› Si se dispone de un jardín se pueden criar fácilmente dafnias y larvas de mosquito en bidones al aire libre, pero solo durante el verano.

Cómo criar artemia

La cría de nauplios de artemia es una buena opción para conseguir un alimento vivo de buena calidad y del que podemos disponer en cualquier momento. Es fácil hacer eclosionar los huevos de artemia, y los nauplios que nacen de ellos son un excelente alimento para peces muy pequeños.

Huevos. Los huevos desecados pueden adquirirse en los comercios especializados, en distintas calidades y tamaños. El que no tenga que alimentar alevines podrá optar por huevos grandes, pero teniendo siempre en cuenta que estén frescos; ha de comprobarse la fecha de envasado. Si se desea tener una buena provisión de huevos, hay que envasar raciones en bolsitas herméticas (de unos 50 ml) y congelarlas. Así se pueden conservar durante más de un año.

Obtención de nauplios. Si solo hacen falta pequeñas cantidades de nauplios, se pueden emplear cubetas de cultivo especiales (véase la ilustración de la izquierda) que se colocan en un lugar caliente (de 22 a 28 °C). Se llenan con agua salada (30 g de sal de cocina sin yodo en 1 litro de agua) y se añade una pizca de huevos de artemia por cada diez peces que se tengan que alimentar con los nauplios. Los huevos eclosionan al cabo de 24-36 horas (en función de la temperatura) y nacen unos nauplios rojizos.

Cómo suministrar los nauplios a los peces. Para separar los nauplios de las cáscaras de los huevos bastará con inclinar el recipiente e iluminar solo la parte inferior. Los nauplios acuden a la luz y es fácil succionarlos con una pipeta o con una jeringuilla de plástico. Se colocan en un colador de artemia (de venta en tiendas de acuarios), se aclaran con agua dulce y se vierten en el acuario con una cucharita. Asegúrese de no incluir las cáscaras de los huevos, ya que ensucian el agua y pueden ser perjudiciales para algunos peces.

Cuándo hacen falta más nauplios. Si se mantienen varios nano-acuarios o se dispone de muchos peces pequeños, es mejor adquirir un sistema completo para el cultivo de artemia. Se trata de un conjunto de botellas provistas de difusores de aire y en las que se puede criar una gran cantidad de nauplios sin que les falte el oxígeno. Es el método preferido por los criadores de peces.

Importante. Mantenga siempre dos cultivos o cubetas y renuévelos alternativamente cada 24 horas. Así siempre dispondrá de nauplios. Lave las cubetas de vez en cuando con agua hirviendo.

Cómo criar gusanos Grindal

EL CONSEJO
DEL EXPERTO
Ulrich Schliewen

Los gusanos Grindal son muy nutritivos y constituyen un buen complemento alimentario para los peces de fondo, pero no conviene emplearlos como dieta única porque son muy grasos. Así es como se crían:

PASO 1: Preparar un trozo de gomaespuma con cortes cruzados y un rebaje en el centro para el alimento. Colocar el trozo de gomaespuma en un recipiente de plástico de unos 10 x 15 cm, como una tarrina de queso, y cubrirla con una malla muy fina (véase la ilustración de la izquierda).

PASO 2: Verter en el rebaje 1 cucharadita de papilla en polvo para bebés, copos de avena muy blandos o papilla de copos de avena como alimento para los gusanos; el conjunto no ha de estar en el agua.

PASO 3: Añadir una ración de cultivo de gusanos Grindal (se pueden comprar en tiendas de acuarios o por Internet) y cubrir la gomaespuma con una pequeña cubierta de vidrio, de unos 8 cm de diámetro.

PASO 4: Dejar el cultivo en un lugar oscuro y cálido. Al cabo de unos días observará una gran concentración de gusanos bajo el vidrio. Recójalos con un pincel y déselos directamente a los peces.

El cuidado de los nano-acuarios en la práctica

El nano-acuario no exige demasiado trabajo, sin embargo, conviene inspeccionarlo bien cada día, ya que su reducido volumen hace que sea más sensible a los errores y fallos que un acuario grande.

Un vistazo diario

Lo más importante es controlarlo cada día, contar a todos sus pobladores y darles de comer. Tómese su tiempo para alimentarlos y asegúrese de que todos comen. Fíjese en sus posibles cambios de aspecto o de comportamiento, y asegúrese de que todos acceden al alimento. Si no localiza a uno de los habitantes del acuario –aunque se trate de un caracol grande–, búsquelo bien y retírelo de inmediato si está muerto, ya que contaminaría mucho el agua. Si se detectan los problemas a tiempo, también se podrá reaccionar antes de que sea demasiado tarde, y tratar las posibles enfermedades o separar a los peces que resulten ser incompatibles. Naturalmente, también hay que asegurarse de que todos los aparatos funcionan de forma correcta. ¿Trabaja el filtro? ¿Está el agua a la temperatura adecuada?

Cuidados semanales

Cambio parcial del agua. Los cambios parciales han de realizarse cada una o dos semanas y resultan completamente imprescindibles en todo tipo de acuarios. Cada vez hay que renovar aproximadamente el 20 % del agua ya que, por bien cuidado que esté el acuario, siempre se acumulan sustancias tóxicas que no pueden ser eliminadas ni por las bacterias ni por las plantas. Realizar el cambio parcial en un nano-acuario no es nada complicado. Tan solo hace falta tener un tubo de plástico y dos regaderas de unos 10 litros de capacidad. En el caso de necesitar un agua especial (véase la página 16) habrá que disponer de una reserva de la misma preparada de antemano. Antes de iniciar el cambio de agua conviene apagar todos los aparatos del acuario para evitar que las bombas funcionen en vacío y que el calentador pueda averiarse. Vacíe una quinta parte del agua del acuario con el tubo y viértala en las regaderas, aprovechando ese proceso para succionar la suciedad que se hubiese podido acumular en el fondo del acuario. Luego no tendrá más que verter el agua preparada en el acuario, y listo.

Limpieza de vidrios. Con el paso del tiempo, las algas y las bacterias no solo recubren el suelo, las plantas y los objetos de la decoración, sino también el interior

La forma más cómoda y sencilla de añadir agua al nano-acuario es con una regadera de plástico.

de los vidrios del acuario. A pesar de que una ligera presencia de algas siempre es deseable, estas resultan molestas en el vidrio frontal. Y si se las deja crecer demasiado pueden ser difíciles de eliminar. La mejor manera de limpiarlas es utilizar un estropajo de acero inoxidable o un limpia-algas de imán. Limpie el vidrio frontal una vez a la semana aunque no vea algas en él. Así evitará que lleguen a proliferar.

Cuidados a intervalos más largos

Limpieza del filtro. El filtro biológico es el corazón del acuario y hay que cuidarlo como se merece. Pero el exceso de cuidados puede resultar tan peligroso como la ausencia de ellos. Entre los cambios parciales del agua, aclare solo la capa filtrante más gruesa (según el tipo de filtro) bajo el grifo, con agua tibia, hasta que esta salga limpia. Las siguientes capas duran más tiempo ya que la primera es la que retiene la mayor parte de la suciedad. Las capas inferiores del filtro es mejor no tocarlas. Así se conserva la eficacia de sus bacterias. Tan solo habrá que aclararlas bajo el grifo en el caso de que se hayan empezado a colmatar de suciedad. Pero no hay que emplear agua demasiado caliente para evitar destruir las colonias bacterianas. Las cargas filtrantes que actúan a nivel físico o químico no se regeneran a base de lavarlas. Por este motivo habrá que renovar periódicamente la turba y el carbón activo, en el caso de que se empleen en el filtro.

Mantenimiento y calibrado de los aparatos. Algunos elementos de las bombas, los filtros y las lámparas se ensucian o se gastan al cabo de cierto tiempo y necesitan ser renovados o puestos a punto.

> Bombas centrífugas pequeñas: el rotor y el eje se ensucian con facilidad y pueden bloquearse o empezar a vibrar. Estas piezas han de limpiarse o sustituirse siguiendo las instrucciones del fabricante. A

veces también entran caracoles pequeños y hay que sacarlos.

> Compresores de membrana: la membrana de goma suele durar uno o dos años, pero luego hay que cambiarla.

> Lámparas: los tubos fluorescentes tienen una vida limitada, pero dado que siguen emitiendo luz no es fácil apreciar la falta de intensidad. Esto puede resultar perjudicial para las plantas, ya que el espectro de emisión no es el mismo. Por lo tanto, hay que cambiarlos cada año.

> Consumibles: hay que ir rellenando los productos consumibles del difusor de CO_2 y de los fertilizadores automáticos.

1. El estropajo de acero inoxidable es ideal para eliminar las algas que crecen sobre los vidrios del acuario.

2. La campana limpiafondos evita que se absorba arena o gravilla al sifonar la suciedad del fondo del acuario. Es mejor emplear un tubo más fino.

El cuidado de las plantas

Para que las plantas del acuario se conserven en perfectas condiciones durante mucho tiempo necesitan que les proporcionemos el agua y los nutrientes que les hacen falta. También necesitan luz para poder efectuar la fotosíntesis y que las protejamos de las algas que podrían llegar a cubrirlas. En ocasiones, las plantas crecen espléndidamente al principio, pero al cabo de unos meses se detiene su crecimiento y las algas toman el relevo.

Nutrientes para las plantas

Fertilizantes: las plantas se nutren de las sustancias disueltas en el agua y de las que están presentes en el sustrato. Una vez al mes es necesario aportarles un fertilizante líquido de uso para acuarios; si la iluminación es muy intensa, habrá que abonarlas con más frecuencia. No hay que emplear abonos para plantas de jardín o de maceta, ya que estos estimulan excesivamente el desarrollo de algas. Hay que emplear dos fertilizantes, uno de tipo general y otro a base de hierro. Este último será especialmente necesario en aquellos casos en que las plantas ya no crecen y sus hojas tienen un color amarillento en vez de verde intenso. Las plantas con raíces hay que

Un acuario con abundancia de plantas no solo resulta atractivo sino que constituye un hábitat bien estructurado. Para evitar que se sature es necesario podar y recortar las plantas con frecuencia.

abonarlas una vez al mes con unos *pellets* especiales para plantas de acuario que se introducen en el sustrato, junto a las raíces de la planta.

Dióxido de carbono (CO_2): el nutriente más importante para las plantas se consigue principalmente con una iluminación intensa, un buen aporte de fertilizante y una densa vegetación. Existen difusores de CO_2 especiales para nano-acuarios, de funcionamiento más o menos automático, que aportan dióxido de carbono de forma continuada. Es importante añadir CO_2 solo durante el día, ya que las plantas no lo asimilan durante la noche. Para abonar con CO_2 es necesario conocer la relación que existe entre la dureza de los carbonatos, el contenido en CO_2 y el pH (véase la página 15)

Mantenimiento de la vegetación

Para que el nano-acuario no se sature de plantas en un abrir y cerrar de ojos, es necesario podar y recortar con regularidad las plantas para mantenerlas a raya. Según su tipo de crecimiento es preferible utilizar un método u otro.

> Plantas de tallo vertical: suelen crecer demasiado y la parte inferior se queda sin hojas. Hay que desplantarlas, cortar la parte inferior con una tijera y volver a plantar el esqueje superior.

> Plantas en roseta: los estolones y los propágulos superfluos se cortan con los dedos o con una tijera a ras de suelo y luego se retiran.

Aireación del fondo

Las plantas acuáticas necesitan un sustrato bien ventilado y en el que sus raíces puedan recibir el oxígeno que necesitan. Para conseguirlo bastará con mullir el sustrato con un palito cada dos semanas, o bien colocar algunos caracoles que excaven en el fondo y ayuden a airearlo.

Los peces de los géneros *Otocinclus* y *Macrotocinclus* resultan muy útiles para eliminar las algas que crecen en los acuarios.

Cómo mantener **a las algas a raya**

Las algas pueden llegar a convertirse en un problema grave, en especial si recubren las plantas de crecimiento lento. Algunos animales comen algas y pueden emplearse para combatirlas, pero hay pocas especies lo bastante pequeñas como para adaptarse al nano-acuario. Resultan muy útiles los peces del género *Otocinclus*, que pueden mantenerse en grupos de tres a cinco ejemplares desde el principio. También hay muchas especies de gambas que comen algas. Sean cuales sean las especies que elija, asegúrese de proporcionarles suficiente alimento vegetal cuando ya casi hayan acabado con las algas. A la mayoría de estas especies se les pueden dar trocitos de calabacín que habrá que renovar a diario.

El acuario durante las vacaciones

Al contrario de lo que sucede con los peces que viven habitualmente en los acuarios grandes, los del nano-acuario apenas disponen de reservas energéticas. Por lo tanto, no toleran bien los períodos de ayuno prolongado. Sin embargo, usted podrá ausentarse tranquilamente si antes toma un par de medidas.

Vacaciones cortas. Una ausencia de pocos días no supone ningún problema. A los peces sanos y adultos habrá que darles una buena ración de alimento vivo antes de la partida. Pero ha de ser un alimento que subsista bien en agua dulce (nada de artemias). Los peces y las gambas adultos pueden estar perfectamente uno o dos días sin comer, por lo que podrá ausentarse tranquilamente siempre y cuando todos los aparatos funcionen correctamente y no haya pasado demasiado tiempo desde el último cambio de agua.

Ausencias prolongadas

Si van a ser unas vacaciones más largas, lo más importante es que no haga modificaciones en el acuario antes de su partida y que efectúe un cambio de agua parcial. No instale aparatos nuevos, ni coloque más animales, ya que usted no estará allí para solucionar las cosas si algo sale mal.

Cuidador eventual. Si usted va a estar fuera durante mucho tiempo, necesitará buscar a alguien que se encargue de dar de comer a sus animales, que controle el funcionamiento de los aparatos y que pueda efectuar los cambios de agua. Si esa persona no es un aficionado a los acuarios experimentado, deberá enseñarle bien todos los detalles de su acuario hasta que comprenda perfectamente su funcionamiento. Si posee un único nano-acuario, también puede hacer esto: vaciar dos terceras partes del agua y llevarle el acuario en ese estado a su cuidador eventual para que lo mantenga en su casa.

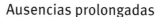

El alimentador automático es de gran utilidad para las ausencias cortas. Hay que graduarlo para que proporcione raciones muy pequeñas que no lleguen a ensuciar el agua.

Los cuidados ideales

Existen un par de limitaciones y reglas básicas que nos ayudarán a conseguir que un nano-acuario de pocos litros se convierta en un elemento estético al mismo tiempo que es un hábitat biológicamente correcto.

Va bien

Mejor no

(+) Infórmese detalladamente sobre las necesidades de sus animales. Esto le permitirá acondicionar el acuario de la forma más adecuada para ellos.

(+) Disponga siempre de una reserva de 10 a 20 litros de agua para efectuar un cambio parcial. Muchas veces se pueden solucionar problemas si se cambia con rapidez una parte del agua.

(+) Deles alimento vivo con frecuencia. Se conserva durante más tiempo en el agua y ensucia menos.

(+) Dosifique el alimento y los medicamentos con la máxima precisión. Tenga siempre en cuenta el volumen neto de agua de su nano-acuario.

(−) En un nano-acuario nunca hay que poner más de una especie de peces o gambas. En los mayores de 25 litros se pueden cuidar hasta dos.

(−) No emplee acondicionadores de agua que no indiquen una dosificación muy precisa. No hay productos que puedan sustituir sus cuidados.

(−) No manipule el acuario más de lo imprescindible. El nano-acuario reacciona como un organismo vivo y se adapta mal a los cambios.

(−) No cuide a las crías en el nano-acuario sino en otro acuario aparte. Al crecer no tardarían en contaminar el agua del nano-acuario más allá de lo tolerable.

Enfermedades y plagas

Si el agua está en buenas condiciones, el acuario está bien montado y los animales son compatibles y están bien alimentados, es raro que llegue a manifestarse alguna enfermedad. Pero dado que en los acuarios siempre hay gérmenes patógenos, si bajan las defensas de los animales pueden aparecer infecciones. Los animales son especialmente propensos a enfermar si viven en unas condiciones diferentes a las que necesitan o si han sufrido daños o estrés durante el transporte.

Prevención. Lo mejor que podemos hacer para prevenir la aparición de enfermedades es controlar a los animales a diario, vigilar la temperatura del agua, efectuar cambios parciales con frecuencia y proporcionarles una alimentación sana y variada. Las cianofíceas (véase la página 45) hay que eliminarlas a tiempo para evitar que contaminen el agua; también hay que mantener a raya la población de caracoles.

El punto blanco es la enfermedad más frecuente en los peces de acuario. Esta ilustración nos muestra un gurami enfermo.

Las enfermedades más frecuentes

Enfermedad del punto blanco o ictioftiriasis. Cuando un pez se cubre de puntitos blancos de hasta 1,5 mm, respira agitadamente e intenta rascarse, lo más probable es que esté siendo atacado por el protozoo *Ichthyophtirius*. En las tiendas de acuarios venden medicamentos muy eficaces para el tratamiento de esa enfermedad. Siga atentamente las instrucciones que acompañan al producto y lleve a cabo el tratamiento en el propio acuario para evitar que queden parásitos en él y vuelvan a infectar a los peces. Durante el tratamiento hay que elevar la temperatura a 28 ºC. Por desgracia, en los últimos años ha aparecido una variedad muy resistente de esta enfermedad. Si el tratamiento normal no surte efecto, consulte a un experto.

Oodinium. Esta enfermedad se manifiesta en forma de un fino «polvillo» blanco o dorado que primero aparece sobre las aletas y luego se extiende a todo el cuerpo del pez. Los peces afectados intentan rascarse. El causante es un organismo unicelular del género *Oodinium*. En agua dura o semidura se trata con medicamentos especiales para acuarios. En agua blanda se trata la infección añadiendo sal de cocina (de dos a cuatro cucharaditas de sal de cocina sin yodo ni aditivos por cada 10 litros de agua). Una vez curada la enfermedad hay que efectuar varios cambios de agua para no perjudicar inútilmente a peces y plantas. También conviene retirar todos los caracoles, ya que estos son huéspedes intermedios del parásito. *Costia* es otro parásito unicelular que puede provocar un cuadro sintomático muy parecido. Se trata con medicamentos para acuarios a base de oxalato de verde de malaquita.

Otras enfermedades. Existen muchas otras enfermedades que pueden afectar a los peces de acuario y sobre las que podrá informarse en la bibliografía especializada, así como en asociaciones de aficionados a los acuarios o consultando a otros aficionados con experiencia.

Cuidado con la administración de medicamentos

El escaso volumen de agua de los nano-acuarios hace que debamos extremar las precauciones al dosificar medicamentos. Es decir, hay que calcular las dosis basándose en el volumen neto de agua, y administrarlas con un cuentagotas o una jeringuilla. También se pueden pesar con un pesacartas. Una gota equivale aproximadamente a 0,3 mg. A veces puede resultar muy útil diluir el fármaco en agua destilada en la proporción de 1:10 y calcular de nuevo la dosis. Así se trabaja con un volumen algo mayor y más manejable.

Otras plagas del nano-acuario

Además de caracoles y algas, en el nano acuario también pueden aparecer planarias e hidras. Estos seres indeseables suelen llegar con el alimento vivo y a veces se multiplican con gran rapidez.

Planarias. Son animales con aspecto de gusanos y que a veces podemos observar recorriendo los vidrios del acuario como si fuesen babosas planas y en miniatura. Son difíciles de combatir, aunque existen dos métodos para ello. Lo mejor es desmontar el acuario por completo y desinfectar tanto el recipiente como la decoración y los aparatos con una solución de sodio al 50 % (de venta en farmacias). Mientras tanto, los animales se mantienen en un cubo con agua del acuario y las plantas se desinfectan con un baño de alumbre (véase la página 27). El se-

Los pólipos de agua dulce tienen tentáculos urticantes y pueden llegar al acuario con el alimento vivo. Son peligrosos para los peces muy pequeños y los alevines.

gundo método consiste en sacar los peces y las gambas, elevar la temperatura del acuario a 32 °C durante tres días y repetir el proceso al cabo de siete días más para destruir también los huevos.

Hidras. Estos pólipos en miniatura son urticantes como las medusas y suelen llegar con el alimento vivo. Son de color verde o amarillento y se fijan en las plantas y en los vidrios. Sus tentáculos urticantes pueden suponer un grave peligro para los peces muy pequeños y las crías. Para eliminarlas, lo mejor es matarlas de hambre; para ello se ha de evitar suministrar alimento vivo a los peces durante un mes. Pero en este caso es posible que vuelvan a aparecer. También se las puede eliminar con hidrato de amonio (de venta en farmacias) a razón de 1 g por cada 10 litros de agua. Luego habrá que efectuar varios cambios parciales del agua. Si en el acuario no hay gambas, se puede dejar en él un trocito de tubo o chapa de cobre durante catorce días. Los crustáceos no lo tolerarían.

Crías en el nano-acuario

Un nano-acuario puede convertirse en un hábitat tan adecuado para peces enanos y gambas que no es raro que estos lleguen a reproducirse en él. Sin embargo, los huevos y las larvas de la mayoría de peces enanos y gambas son tan pequeños y delicados que su crianza exige bastantes cuidados. Además, muchas crías necesitan una alimentación especial. Lo mejor es trasladar los huevos o las larvas a otro recipiente de crianza para evitar que se los coman los otros habitantes del acuario o incluso sus propios padres.

Parideras colgantes

En estas parideras se puede sacar adelante cierto número de alevines. Llevan incorporado un pequeño filtro accionado por aire que les suministra constantemente agua del acuario, y que regresa a este a través de una malla muy fina (malla para artemia, de venta en tiendas de acuarios; véase la ilustración). Según la especie, habrá que recoger los huevos o alevines con una pipeta de plástico y trasladarlos sin que lleguen a entrar en contacto con el aire. Toleran bien el traslado porque la temperatura y la calidad del agua son las mismas que en el acuario. Permanecerán en la paridera hasta que sean lo bastante grandes como para poder ser trasladados a un acuario de crianza. Las parideras que se suelen emplear para peces ovovivíparos no son apropiadas para peces enanos porque su malla y sus aberturas son demasiado anchas.

Acuario de crianza

Si las crías son muy numerosas habrá que trasladarlas a un acuario de crianza porque necesitarán disponer de más espacio. Este acuario estará provisto de un calentador con termostato, un filtro de esponja grande y un difusor de aire para oxigenar el agua. También contará con otros elementos, como plantas flotantes, tubos de plástico, hojarasca, troncos y raíces, que proporcionen cierta estructura a su interior. Si los alevines cuentan con un agua en buenas condiciones y son alimentados por lo menos dos veces

Esta gamba «Red Fire» hembra lleva el abdomen cargado de huevos.

Las parideras con filtro incorporado permiten separar a la prole de sus padres y alimentar a los alevines con los diminutos seres que necesitan.

Los acuarios con rendija también son muy adecuados para criar peces pequeños. Los alevines van a parar al compartimiento de la derecha quedando así a salvo de sus progenitores.

al día, crecerán muy deprisa. Según el número de crías puede ser necesario efectuar cambios parciales del agua cada tres o cuatro días, siempre empleando agua preparada de antemano. También es importante sifonar a diario los detritos y restos de comida que puedan acumularse en el fondo. Es útil contar con algunos caracoles para que eliminen los restos orgánicos. Naturalmente, habrá que sacrificar a las crías enfermas o que presenten malformaciones.

Alimento para crías

Muchos alevines aceptan desde el primer momento nauplios de artemia recién nacidos, que podemos criar fácilmente en cubetas (véase la página 48). Alimente a los alevines varias veces al día y succione con un tubo las artemias muertas que puedan quedar en el fondo. Algunas especies también aceptan alimento seco pulverizado, pero no es recomendable hacerlo en un nano-acuario ya que es difícil acertar las raciones correctas y los restos ensucian mucho el

agua. Un alimento muy útil es el Liquifry para ovíparos (de venta en tiendas de acuarios). A los alevines muy pequeños hay que darles presas minúsculas antes de que crezcan lo suficiente como para poder comer nauplios de artemia. Lo mejor es ofrecerles paramecios y otros protozoos.

Cómo cultivar paramecios. Llene con agua un frasco de vidrio de 0,5 a 1 litro de capacidad, añada uno o dos trozos de piel de plátano seca de 1 cm de longitud y agregue una ración de paramecios procedente de un cultivo en funcionamiento (los puede conseguir por Internet o a través de una asociación de aficionados a los acuarios). Espere un par de días hasta que los paramecios se reproduzcan y se vea una especie de nube blanquecina en el agua. Tome algunas gotas de esta nube con una pipeta y viértalas directamente en el acuario de crianza. En cuanto el cultivo de paramecios empiece a aclararse, habrá que alimentarlo con pieles de plátano o con cuatro o cinco gotas de leche condensada.

Interpretación del comportamiento

¿Conoce bien a sus animales? Aquí descubrirá el significado del comportamiento de los habitantes de su nano-acuario.

Cuidado de la prole

Este gurami enano macho vigila los huevos colocados en un nido de espuma bajo una piedra plana.

Cuando nazcan los alevines, su padre seguirá cuidándolos hasta que naden libremente.

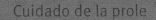

Cortejo nupcial

El pez luchador macho se mueve ostentosamente ante su compañera y «escupe» con fuerza.

Le está indicando que después del desove se encargará de recoger los huevos y cuidarlos.

Agresividad contenida

La gamba naranja de la derecha intimida a la otra, más pequeña, abriendo sus tenazas.

Las gambas de río enanas suelen ser pacíficas, pero a veces pueden producirse enfrentamientos de tipo jerárquico que no van más allá de una intimidación.

¿Se ha muerto una gamba?

En el acuario vemos los restos de un caparazón. A simple vista, parece tratarse de los restos mortales de una de las gambas.

Pero no. La gamba simplemente ha mudado porque al crecer ya no cabía en su viejo caparazón. Entre todas pronto se comerán los restos de la muda para aprovechar los nutrientes que contiene.

La seguridad del grupo

Los neones son peces gregarios y en la naturaleza van en grupo de forma que cada uno de ellos siempre tenga a otros a la vista. En el acuario han de poder hacer lo mismo.

A los peces gregarios siempre hay que mantenerlos en grupos numerosos. Es la única forma de que vivan bien.

10 consejos para el éxito

Garantía de bienestar para los habitantes del nano-acuario

1 UNA BUENA ELECCIÓN

No todos los habitantes del nano-acuario necesitan la misma agua ni la misma alimentación. Infórmese bien acerca de sus exigencias antes de comprarlos y adquiera solo animales que sean del todo compatibles. Así evitará muchos problemas.

2 NO HAY QUE SUPERPOBLAR

En un nano-acuario de 12 a 20 litros de capacidad tan solo se pueden mantener peces de una misma especie. En los acuarios de 25 a 35 litros se pueden mantener como mucho peces de dos especies distintas y que vivan en zonas distintas del acuario.

3 UNA BUENA UBICACIÓN

Los nano-acuarios necesitan tranquilidad y no toleran bien los cambios de temperatura. Por lo tanto, colóquelo en un lugar con poco «tránsito», en el que no haya vibraciones y que esté alejado de ventanas y radiadores que puedan calentar en exceso el agua. Si es necesario, protéjalo de la luz solar directa que pueda llegarle a determinadas horas del día.

4 OBSERVE UNA FASE DE RODAJE

Cuando el acuario está recién montado necesita un período de «rodaje» para que empiecen a reproducirse las bacterias del filtro y del sustrato. Después de colocar las plantas y llenarlo de agua, manténgalo durante dos semanas en funcionamiento antes de instalar a los peces.

5 INTRODUCIR A LOS ANIMALES CON CUIDADO

Iguale poco a poco la temperatura y la calidad del agua de las bolsas de transporte con la del acuario. Es importante, ya que así se evita estresar inútilmente a los animales.

6 LLEVE UN DIARIO

Anote en una libreta todo lo que haga en su acuario. Así detectará de inmediato cualquier alteración y podrá poner remedio antes de que sea demasiado tarde.

7 COMPROBAR LOS PARÁMETROS DEL AGUA

Controle de forma periódica la temperatura, el pH, la dureza y los nitratos. Durante la fase de rodaje hay que controlar también los nitritos.

8 EFECTUAR UN CAMBIO PARCIAL DEL AGUA

Para que el nano-acuario se conserve en perfectas condiciones es imprescindible cambiar cada semana una quinta parte del agua. Tenga siempre a mano una cantidad de reserva.

9 ALIMENTAR CON MODERACIÓN

Administre solo la cantidad de alimento seco que los peces puedan consumir en dos o tres minutos. Es preferible dar pequeñas cantidades dos veces al día y alternar con alimentos congelados y presas vivas.

10 REVISIÓN DIARIA

Basta con dedicar unos pocos minutos cada día a comprobar que todo funciona correctamente. Así podrá detectar posibles cambios y actuar a tiempo si es necesario. ¿Se comportan los animales con normalidad? ¿Están todos? ¿Se observa algún síntoma de enfermedad?

SOS ¿qué hacer en caso de urgencia?

¿Exceso de comida?

Problema: Al abrir el envase ha caído demasiada comida al acuario.

Solución: Vacíe con un tubo 2/3 del agua del acuario sifonando a la vez los restos de comida del fondo y de la superficie. Al acabar, vuelva a llenar el acuario con agua preparada.

Punto blanco

Problema: Los peces tienen el cuerpo y las aletas salpicados de puntitos blancos y se rascan.

Solución: Han contraído la enfermedad del punto blanco. En cualquier tienda de acuarios encontrará remedios muy eficaces para curarla. Siga al pie de la letra las instrucciones que acompañan el producto y prolongue el tratamiento durante el tiempo que se indica.

Sobrecalentamiento en verano

Problema: Durante los días más calurosos, la temperatura del nano-acuario alcanza los 30 °C, y los animales y las plantas sufren a causa del calor.

Solución: Vacíe 2/3 del agua del acuario, trasládelo a un lugar más fresco y vuelva a ponerlo en funcionamiento. Añada agua nueva.

Algas cianofíceas

Problema: Aparece una capa de algas de color verde oscuro, mucilaginosas y malolientes, que cubren el fondo, la decoración y las plantas.

Solución: Hay que armarse de paciencia. Las cianofíceas no son propiamente algas sino cianobacterias oportunistas que suelen aparecer antes de que las condiciones del acuario hayan llegado a estabilizarse. Hay que sifonarlas a diario con un tubo y hacer cambios parciales frecuentes con agua preparada con anterioridad. Al cabo de unas semanas, cuando el acuario ya se haya estabilizado, desaparecerán con la misma rapidez con que aparecieron. Por desgracia, no hay ninguna causa definida que aclare su aparición. No hay que emplear alguicidas ni productos similares.

Respiración agitada

Problema: Después de un cambio parcial, los peces respiran agitadamente a pesar de que el agua está bien oxigenada.

Solución: Lo más probable es que se hayan descuidado un poco los cambios parciales y que el agua vieja estuviese saturada de detritos metabólicos y restos de comida. Vacíe de nuevo 2/3 del agua del acuario y sustitúyala por agua preparada.

Índice alfabético